Зачем нужны

?

Jо

Януш Л. Вишневский

Зачем нужны мужчины

Janusz L. Wiśniewski

Czy mężczyźni są światu potrzebni?

Москва
АСТ • Астрель

УДК 821.162.1
ББК 84(4Пол)
В55

Текст подготовлен семинаром переводчиков «Трансатлантик»
при Польском Культурном центре в Москве

Дизайн Ксении Зон-Зам

В55
Вишневский, Я.
    Зачем нужны мужчины? Пер. с пол. / Януш
Леон Вишневский. – М.: АСТ: Астрель, 2010. –
288 с.

ISBN 978-5-17-054321-2 (ООО «Издательство АСТ»)
ISBN 978-5-271-21217-8 (ООО «Издательство Астрель»)

Книга известного ученого и писателя Януша Вишневского «Зачем нужны мужчины?» — это порция шокирующего знания о нас самих. Автор пытается построить мост между научной теорией и тем, что прочувствовано, он опровергает мифы, ставит под сомнение стереотипы, возмущает, забавляет.

УДК 821.162.1
ББК 84(4Пол)

Подписано в печать 25.09.2010. Формат 84x108¹/₃₂.
Усл. печ. л. 15,2. Доп. тираж(8-й) 7000 экз. Заказ № 8853.
Общероссийский классификатор продукции ОК-005-93, том 2;
953000 – книги, брошюры
Санитарно-эпидемиологическое заключение
№ 77.99.60.953.Д.012280.10.09 от 20.10.2009 г.

ISBN 978-5-17-054321-2 (ООО «Издательство АСТ»)
ISBN 978-5-271-21217-8 (ООО «Издательство Астрель»)

Jak pożądają mężczyźni?

Как хочет ① мужчина?

Женщине, чтобы лечь с мужчиной в постель, необходимо ощущение близости, доверия и прочности связи. Мужчине — главным образом — место...

Удручающее утверждение (прежде всего в отношении мужчин) — кроется ли за ним только цинизм или также некая истина? Если кроется, то насколько она горька? Почему мужчины хотят секса не так, как женщины? И что из этого следует?

У животных все намного проще. Вожделение способствует прокреации и максимально широкому распространению генов. Ближайший в эволюционном плане к человеку примат — обезьянка бонобо — без малейших угрызений совести может прервать акт копуляции, едва в поле зрения появится другой самец, своим внешним видом и поведением показывающий, что он в состоянии гарантировать лучший набор генов их потенциальному потомству. Для принятия решения распутнице бонобо достаточно не более восьми секунд. Еще меньше времени в подобном случае понадобится самке полигамной горной полевки.

У животных половое влечение служит исключительно одной цели — размножению. Ученые до

Зачем нужны мужчины?

сих пор не пришли к единому мнению: испытывают ли животные приятные ощущения, удовлетворяя свое желание во время копуляции? Рассматривая фотографии совокупляющихся пар горилл, славящихся, кстати, своей верностью, я сильно в этом усомнился. Циники говорят, что страдание на морде (лице?) самца гориллы объясняется тем, что его постоянно фотографируют с одной и той же партнершей.

Люди — первый и единственный вид, который в ходе эволюции отделил размножение от полового влечения. И один из трех видов, у которых сексуальное желание и совокупление не зависит от времени года. Остальные два — мухи и клопы. У всех прочих существ половое влечение появляется исключительно в короткий брачный период (так называемый гон). Только в это время половое влечение преобладает у них над чувством голода, холода, жажды и самосохранения. И характерно это в большей степени для самцов, чем для самок.

Кроме того, лишь человек непременно желает связать вожделение с таким культурным явлением, как любовь. В этом ему помогают писатели и поэты, уже четыре тысячелетия воспевающие (не без моего участия) «романтическую любовь», а также ученые, создавшие противозачаточную таблетку, и журналисты, превратившие романтическую любовь в культовую, всегда очень выгодную тему. И несомненно, без романтической любви не было бы ни Голливуда, ни тем более Болливуда[1].

Между тем многое указывает на то, что человек в сфере сексуальности в значительной мере

---

[1] Болливуд — синоним киноиндустрии, центром которой является индийский город Мумбай (бывший Бомбей); название включает две составляющие: Бомбей и Голливуд. (*Здесь и далее — примеч. перев.*)

Зачем нужны мужчины?

остался животным. Тысячи лет назад придумав любовь, он только очеловечил вожделение, секс и размножение, придав культурное значение биологическим явлениям. Однако мало что изменилось на протяжении веков, о чем свидетельствуют исследования антрополога Джорджа Мёрдока. В конце сороковых годов XX века он изучил историю культур 238 цивилизаций во всем мире. И лишь для 43 из них моногамия была социально предпочтительным образцом семейной структуры. В остальных же господствовала система, которую нынешний западный мир грубо и метко назвал бы претворением в жизнь фантазий мастурбирующего мужчины: как можно больше женщин в кратчайшее время. Будь то индейцы в Северной Америке, или инки в Южной, или же адепты племенных культур в Африке и Азии — большинство признавали факт одновременного сожительства мужчины со многими женщинами.

Иногда приходилось юридически регламентировать число партнерш. Мусульмане до сих пор, согласно Корану, могут иметь максимум четыре жены (если муж в состоянии обеспечить всем одинаковый уровень жизни). В свою очередь правитель Ашанти (нынешняя Гана) вынужден был смириться с законом, по которому его гарем не мог превышать точно установленного и по сей день неразгаданного числа: 3333 женщины.

Биологи-эволюционисты усматривают в такой полигинии скрытый смысл. Даже для женщин. Наложница в гареме имела возможность смешать свои гены с генами самого важного и наиболее влиятельного мужчины в государстве.

По мнению известного зоолога Тима Беркхеда из Шеффилдского университета (Великобритания), моногамия — крайне неестественная система. В статье, опубликованной в престижном научном журнале «Nature» (2005), Беркхед утверждает, что люди так же, как и животные, в силу своей природы стремятся к лишенным душевной привязанности сексуальным контактам со случайными, часто сменяемыми партнерами (это явление называется промискуитетом), а моногамия в качестве доминирующего в западных цивилизациях партнерского союза является искусственным культурным образованием, внедренным религией для стабилизации общества. Добавим: общества со строго патриархальной социальной системой.

Моногамию навязали миру — о чудо! — мужчины. Желая избежать конфликтов и всего того зла, которое влечет за собой борьба за обладание как можно большим числом женщин, они придумали демократичную систему, в которой каждый мужчина будет иметь право, по крайней мере теоретически, только на одну женщину. Не спросив, разумеется, что́ сами женщины думают по этому поводу. Впрочем, даже если бы и спросили, ответ (в те времена) мог быть только один. Находясь в полной материальной зависимости от мужчин, женщины согласились с идеей супружества с единственным партнером на всю жизнь, полагая, что таким образом обеспечат себе и своим детям материальный достаток.

На протяжении тысячелетий женщинам приходилось вести торг с мужчинами: моя верность взамен на социальные гарантии для меня и моих детей. Но сегодня, в начале XXI века, этот контракт между полами постепенно (наконец-то!) утрачивает силу. Женщины в состоянии сами себя содержать. Мужчины и женщины, обогнув экватор истории, вернулись в исходную точку, то есть в пещеры. Во всяком случае, в том, что касается сексуального партнерства и равноправия.

С биологической точки зрения гедонисты-мужчины очень рады возврату в пещеры. Эротика плейстоцена — отличный сценарий для любого порнографического ролика (хотя лично я сомневаюсь, что для такого рода фильмов существуют «сценарии»). Последняя, насчитывающая более 7200 лет находка археологов в немецкой Саксонии, пожалуй, отличное тому подтверждение. Девятнадцатого августа 2003 года зоркий экскаваторщик, готовя участок для закладки газопровода в Эрдрайхе, неподалеку от Лейпцига, наткнулся на глиняную фигурку периода керамического неолита. В научной статье, вышедшей вскоре в историческом журнале «Germania», археолог Харальд Штаубле подтвердил, что статуэтка изображает разнузданный сексуальный акт наших пещерных предков. Это было сенсационное открытие, поскольку древнейшее известное нам до той поры изображение полового акта появилось (в виде фресок) в Греции на 4000 лет позже. К эротической статуэтке из Саксонии вскоре добавилась находка археологов из Людвигшафена, извлеченная из вод Боденского озера, на границе Германии и Швейцарии, — так называемый Дом культа. То был храм, из стен которого выступали глиняные, некогда весьма пышные женские груди.

По мнению антрополога Хелен Фишер, автора изданных в Польше увлекательных книг «Анатомия любви» и «Почему мы любим?», женщины каменного века «удалялись в кусты каждый раз с новым партнером». В домах из бетона нет места свободной любви, а в пещерах из гранита или песчаника — сколько угодно. Фред Флинстоун только в детских мульфильмах выглядит смешным подкаблучником и убежденным сторонником моногамии. Тот же Фред Флинстоун на канале «Нейшнл джиографик» или в «розовой серии» на других каналах, которую обычно пускают после полуночи, был бы совершенно иным, более прав-

Зачем нужны мужчины?

дивым, — биологически мотивированным самцом с ничем не сдерживаемым (если он не сильнейший в стае, наделенный особыми правами) инстинктом.

Оказывается, разнузданный секс наших пещерных предков даже сегодня имеет для людей большое значение. По крайней мере для тех, кто задается вопросом, как же так вышло, что первобытному человеку удалось заселить всю планету. Согласно общепринятой теории, мы все — как вид — происходим от некой пары прародителей из Африки, которая, размножившись, распространилась по всему миру. Из Африки первые люди перебрались на другие континенты и в результате жестоких войн покорили местные популяции, приведя их к вымиранию.

В последнее время, однако, Алан Р. Темплтон, молодой генетик из Мичиганского университета, на конгрессе Австралийского генетичес-

17

кого общества в Мельбурне поставил под сомнение правильность этой теории. Он утверждает, что африканский человек вовсе не уничтожил другие виды людей, а только с ними смешался. Свои тезисы Темплтон подкрепляет подробным анализом ДНК различных проживающих ныне на земле человеческих рас. Степень смешения генов столь велика, что, по словам Темплтона, «наши предки думали исключительно о сексе и занимались им с любым и каждым при первой подвернувшейся возможности». Только таким образом могло произойти колоссальное распространение генофонда. Оказывается, лозунг «Make love, not war» был идеей не только хипповских коммун конца шестидесятых годов XX века.

Порой человек более «биологичен», чем животные, и при этом в значительно большей степени (что обусловлено эволюцией) лицемерен.

Зачем нужны мужчины?

Самцы животных используют сексуальные уловки, чтобы оплодотворить как можно большее число самок. Мужчины (с гораздо лучше развитым мозгом) придумывают куда более изощренные фортели и делают это не для того, чтобы исполнить свой естественный долг — кого-либо оплодотворить (чаще совсем наоборот, очень этого боятся). Они жаждут получить от полового акта лишь удовольствие, и желательно — с «посторонними» самками, ничего не оставляя природе взамен. В своем пристрастии к незнакомым самкам они очень схожи с самцами пресмыкающихся, мозг которых остановился в развитии на самом начальном этапе. Например, у ящериц есть только так называемый рептилиальный мозг (он сохранился и у человека), состоящий исключительно из нервного ствола. Именно там источник основных физиологических процессов. Ящерицы не имеют ни мозговой коры (ответствнной за мышление), ни лимбической системы (регулирующей эмоции).

Несмотря на это, как отмечают американские зоологи Лаура Стил и Уильям Купер, самцы гекконов (лат. *Gekkonidae*, большое семейство ящериц — 90 видов и 800 подвидов) в период гона своим поведением очень напоминают похотливого мужчину. Они извиваются с блаженным выражением на морде, крутят хвостом, но номера эти — не для той самки, что находится рядом и с готовностью ждет акта оплодотворения. Она уже и так целиком им принадлежит. Гекконы проделывают это для самок, которые время от времени совершенно случайно оказываются на помеченной ими территории. И тут самцы, забыв про усталость, щедро тратят силы и время. Однако пришлые самки вовсе не должны быть готовы к спариванию. Сексуально возбужденный геккон на удивление схож с мужчиной, но сильно отли-

20

чается от него в одном: он ведет себя так, словно его одолевают мысли о будущем. Многие самки, очарованные движением его хвоста, остаются на территории до тех пор, пока в них не созреет яйцеклетка. Самец геккона тоже не покинет это место, надеясь, что сможет в очередной раз стать отцом. Большинство же современных мужчин, удовлетворив страсть, спешат как можно скорее сменить место пребывания...

Время, которое проходит у людей от возникновения влечения до полового акта, хотя и более длительное, чем у шимпанзе, все же короче, чем, например, у горилл. Да, но гориллы никогда не читали Лесьмяна[2]. Скованный социальными условностями и догмами (некоторых) религий, человек заключил свою, прежде необузданную, сек-

---

[2] Болеслав Лесьмян (1877–1937) — выдающийся польский поэт, автор любовной и пейзажной лирики.

суальность в жесткий корсет, который сдавливает тело и вздымающуюся от возбуждения грудь (у женщин), а также в сплетенный из колючей проволоки этики намордник морали (у мужчин). Мужчинам в таком наморднике во стократ хуже, чем женщинам в корсете. Женщина, даже если и мучается, в корсете выглядит привлекательно; мужчина в наморднике похож на сексуально разнузданного волка. Причины этого кроются главным образом в эволюции.

В целом мужчины всего мира совокупляются 50 миллиардов раз в год, что дает около миллиона литров спермы ежедневно. Две фабрики, находящиеся у мужчин между ног, непрерывно, в четыре смены, днем и ночью вырабатывают миллионы крошечных мужских генетических копий. Каждую секунду мужчины во всем мире производят 200 триллионов сперматозоидов, чему соответствует мизерное количество рождений —

всего лишь человек пять в секунду! Женщина производит на свет заведомо меньше детей по сравнению с тем, сколькими ее мог бы наградить мужчина. С точки зрения эволюции предложение спермы в мире намного превышает спрос на нее. Уже сам этот факт биологически предопределяет бо́льшую полигамность мужчин.

Однако чтобы быть полигамным, нужно испытывать сексуальное желание. И довольно сильное. Теоретически даже непрерывно. Природа (или Создатель) уже на молекулярном уровне снабдила мужчин иной, нежели женщин, химией вожделения. Дала им яички, производящие тестостерон (химическое название: *17β-Hydroxy-androst-4-en-3-on*), уровень которого у мужчин намного выше, чем у женщин.

Эволюцию следует поносить (или благодарить?) за то, что мужчин обычно тянет к молодым и хорошеньким женщинам. Ведь чем моло-

23

же, тем больше детей такая женщина может ему родить. Чем она привлекательнее, тем более красивыми получатся дети. Миловидное потомство имеет больше шансов найти симпатичных партнеров. Таким образом цикл замыкается. Вдобавок привлекательность партнерши ведет к выравниванию предложения спермы и спроса на нее. Половые акты с красивыми женщинами (согласно исследованиям американского института Кинси) намного короче, чем с менее привлекательными.

При высоком уровне тестостерона у мужчин (по сравнению с женщинами) гораздо ниже уровень окситоцина и вазопрессина — двух пептидных гормонов, которые с давних пор нейробиологи связывают с сохранением социальных связей и относят к группе так называемых гормонов верности.

24

Особенно интересно воздействие окситоцина на половое влечение мужчин. Его уровень влияет на так называемый период рефракции, то есть время от эякуляции до начала следующей эрекции. У мужчин с низким уровнем окситоцина оно значительно короче, чем у мужчин с высоким уровнем этого гормона. Иными словами, потенциально менее верный мужчина «может второй раз» через пятнадцать минут, тогда как более верный — только через пятнадцать часов. Эволюция и в данном случае несправедлива к женщинам...

Как уже многократно случалось, половое влечение мужчин может быть весьма небезопасно... с политической точки зрения. История знает тому примеры: ради обладания женщиной мужчины развязывали войны, в ходе которых уничтожались целые нации либо перекраивалась карта мира. Многие мужчины живут, руководствуясь неверным принципом, сформулированным в броской фразе (придуманной, кстати, женщиной): «Жизнь — это вожделение, все прочее лишь мелочи». Вожделеющие мужчины, любой ценой добиваясь женщины, жаждут главным образом самоутверждения. Ничто так не повышает их самооценку, как женщина, которая кричит. Но не от злости. От наслаждения.

Перевод О. Катречко

Czy mężczyzna może być wierny?

Может ли мужчина ② *быть верным?*

Женщины хотят много секса с мужчиной, которого любят. Мужчины хотят просто много секса...

Уже при первом контакте мужчина оценивает женщину как объект сексуальных желаний. Он не смотрит на нее как на потенциальную мать, делового партнера, заботливого друга или собеседницу.

Оценивает ее — часто подсознательно — с чисто сексуальной стороны. Ученые из университета Падуи (Италия) исследовали многочисленную группу мужчин и женщин разного возраста и составили так называемую карту направления взгляда. Как выяснилось, в первую минуту общения мужчина больше всего внимания уделяет груди женщины, потом ногам, затем лицу — концентрируясь на губах, — после чего его взгляд быстро переходит на бедра. Эксперимент ставился на двух группах женщин: одетых в откровенные вечерние наряды и в скромные деловые костюмы. Взгляд женщин, участвующих в подобных исследованиях, в первый момент задерживался главным образом на лице и голове мужчины. Статистический показатель существенно изменился лишь тогда, когда мужчины были в вечерних костюмах. Около 8% времени в первую минуту контакта женщины посвятили рассматриванию области ширинки.

У мужчин половое сознание пробуждается раньше, чем у женщин. Более того, для юношей оно гораздо важнее, чем для девушек. Вопреки укоренившемуся мнению, уже на самом раннем этапе созревания мозг мальчиков в том, что касается их сексуальности, играет роль, сопоставимую с ролью половых органов. Юноши могут достигнуть оргазма от одних лишь сексуальных фантазий, без реального физического контакта. У них бывают эротические, приводящие к полюции сны. Большинству девушек в их возрасте эротические сны не снятся.

Благодаря высокой концентрации тестостерона юноши сексуально более активны, чем девушки. Специальный тест, проведенный профессором-эндокринологом Эберхардом Нишлагом из Мюнстерского университета в Германии, показал, что тестостерон (в данном случае как анаболический стероид) является основным фактором, определяющим телосложение и тембр голоса. На основании проведенных исследований Нишлаг установил, что хорошо сложенные басовитые юнцы с признаками первой растительности на лице имеют намного больше семяизвержений в неделю, чем обладатели теноров. Вообще мальчики чаще мастурбируют, более настойчиво стремятся к удовлетворению сексуальных желаний и, хотя взрослеют, несомненно, позже девочек, раньше — обуреваемые сильным желанием — начинают половую жизнь. Матери часто предостерегают дочерей, что молодому мужчине только одно и нужно, и, увы, чаще всего бывают правы. Потом дочери сами становятся матерями, и ситуация радикально меняется. Им жаль, что у мужчины пропадает желание, однако они не устают предостерегать уже своих дочерей.

Когда юноши превращаются в мужчин, со временем секс влечет их все меньше (по крайней мере, с женщиной, с которой в данный момент у них устойчивые отношения). Сексуальная активность постепенно снижается. По прошествии года постоянных половых отношений число сексуальных актов у супружеских пар согласно исследованиям журнала «Spiegel», проведенным в 1998 году на 2400 парах) уменьшается в среднем вдвое. Достаточно, однако, потерять или поменять партнершу, как либидо у мужчины возвращается на исходный уровень. Этот феномен сразу же заметно отражается на концентрации тестостерона в крови мужчины.

Результаты исследований эндокринологов из университета штата Пенсильвания подтвердили интересную закономерность: уровень тестостерона у мужчины после вступления в брак (может, не сразу после первой брачной ночи) понемногу снижается, но мгновенно повышается, как только дело доходит до развода. Этим же объясняется неоспоримый факт, что женатые мужчины живут в среднем дольше, чем холостяки или разведенные. Чрезмерно высокий уровень тестостерона ослабляет и замедляет реакцию иммунной системы (сокращая выработку лимфоцитов), приводя тем самым к более ранней смертности. Это связано с влиянием тестостерона на деятельность Т-лимфоцитов (так называемых тимусзависимых лимфоцитов), являющихся носителями клеточного иммунитета и наделенных способностью уничтожать чужеродные клетки. Результаты исследований, проведенных в известной американской клинике Майо (опубликованные в «Journal of Immunnology» за ноябрь 2004 г.), показывают, что недостаток тестостерона непосредственно активизирует деятельность Т-лимфоцитов, повышая сопротивляемость организма. Однако до сих пор эти наблюдения проводились только на кастрированных самцах мышей и их нельзя напрямую переносить на людей.

Кстати, среди исследованных групп мужчин самый низкий уровень этого гормона зафиксирован у католических священников (см. статью в американском научном журнале «Journal of Endocrinology», 2001 г.).

Практически все исследования, проведенные в XX и начале XXI века, подтверждают печальный факт, что в сексуальной сфере мужчинам необходимо (и они его ищут) разнообразие. Это было отлично известно, например, доктору Альфреду Чарлзу Кинси, американскому биологу, специалисту по насекомым, который в пятидесятых годах прошлого века, по поручению правительства США, прекратив изучать жужжание ос-плодожорок, занялся подготовкой отчетов о сексуальном поведении американцев, шокируя ими пуританские в те времена (как, впрочем, и теперь) Соединенные Штаты.

Кинси, побеседовав с тысячами мужчин, пришел к выводу, что, если бы не социальные запреты и оковы морали, мужчина, не колеблясь, воспользовался бы сексуальной свободой. Бонобо и Богдан в этом плане не особенно отличаются друг от друга. Мужской промискуитет обусловлен эволюцией. Сексуальная свобода заложена в мужских генах. Это известно каждому фермеру, будь он из американского Огайо или из польской Мазовии. Закончив покрывать Буренку, бык с не меньшим вожделением кинется на только что приведенную Машку. И на седьмую по счету корову бык отреагирует так же, как на первую. Достаточно, чтобы корова была другая. Подобным образом ведет себя баран, который с одной и той же овцой не сможет повторить эякуляцию более пяти раз. С новой овцой эякуляция произойдет немедленно.

Это явление имеет даже свое название — эффект Кулиджа, и происходит оно от фамилии ничем не зарекомендовавшего себя в истории Соединенных Штатов президента. Джон Калвин Кулидж (30-й президент США, 1923—1929 гг.) однажды посещал с супругой правительственную птицеферму. Супруга в какой-то момент поинтересовалась у сопровождающих, сколько раз в день спаривается петух. Ответ был: «Десятки раз». Первая леди попросила сообщить об этом супругу — что не замедлили сделать. Президент спросил тогда: «Каждый раз с одной и той же курицей?» И услышав: «Каждый раз с другой», распорядился, чтобы этот ответ передали его жене.

У женщин сексуальное влечение не слабее, чем у мужчин, может, даже сильнее. Однако оно в гораздо большей степени зависит от эмоциальной составляющей. Мужчины, лишенные секса, чаще становятся мрачными, раздраженными и агрессивными. Женщины, воздерживающиеся от половых отношений, редко подвержены подобным чувствам. Мужчинам хронически недостает просто секса, женщинам — того, что ему сопутствует. Социологический анализ массового некоммерческого общественного форума в Интернете, известного в США под названием Criagslist (более миллиарда посещений с момента возникновения этого форума и свыше пяти миллионов зарегистрированных пользователей), свидетельствует, что покинутые женщины ищут прежде всего того, что им заполнит душевную пустоту, секс их вообще не интересует (по крайней мере на начальном этапе).

Для мужчин важны прежде всего частота половых контактов и интенсивность чувственного

Зачем нужны мужчины?

удовольствия. Для женщин самое главное — ощущение близости, которое дает или имитирует секс. Столь же значимо для них ощущение безопасности. Анализ анкет Института Кинси за 2001 год (определялось качество половой жизни гетеросексуальных пар в разные периоды) показал, что у женщин частота оргазмов заметно возрастает сразу же после вступления в брак. Статистически это выглядит так: если до свадьбы только одна из ста женщин заявляла, что достигает оргазма, то после свадьбы число таких женщин возросло до пятидесяти шести (sic!). В свою очередь у мужчин этот показатель качества половой жизни (трудно говорить об отсутствии оргазма у мужчин) получил оценку «стало значительно лучше» или «лучше» только у шести из ста.

Объясняется это, в частности, различной динамикой секреции окситоцина — гормона, отвечающего у всех приматов за формирование социальных связей. Женский организм вырабатывает гораздо больше окситоцина, чем мужской. Каждый приносящий удовлетворение половой контакт с близким человеком дополнительно усиливает у женщины секрецию этого гормона. У мужчин концентрация окситоцина остается в целом неизменной. Кроме того, говоря проще, женщина «на окситоцине» стонет от полученного удовольствия после секса (даже лишенного оргазма). Мужчина начинает просто храпеть.

Стереотип поведения мужчины в сфере секса не зависит от сексуальной ориентации. Только для незначительного числа гомосексуальных мужчин характерно типично женское поведение; они становятся, скажем так, женоподобными, то есть нежными, заботливыми, и проявляют пониженный интерес к физиологической стороне секса. В свою очередь гомосексуальные женщины не выходят за рамки обычной женской поведенческой модели. Тестостерон, похоже, не превалирует над их женскими гормонами, и у них по-прежнему неизменно преобладают типично женские черты: нежность, эмоциональность, стремление к защищенности и чувству близости.

Физическое удовольствие от секса — по анкетам Института Кинси (1999 г.) — оказалось на одном из последних мест по шкале ценностей (у женщин!). Короче говоря, женщины хотят много секса с мужчиной, которого любят. А мужчины хотят просто много секса. Объясняется это главным образом различной реакцией на раздражители. Мужчины реагируют преимущественно на прикосновение и на вид обнаженного тела, женщине необходимо в основном ощущение надежности и нежность.

Этим объясняется также успех фармакологического лечения эректильной дисфункции у мужчин и провал терапии женской фригидности. Виагра (активное вещество *sidenafil,* левитра (*vardenafil*) и в последнее время сиалис (*tadalafil*) очень эффективны только в случае мужчин. Все три препарата ни в коей мере не являются афродизиаками, их функция ограничивается угнетением одного фермента — PDE5 (фосфодиэстеразы, расщепляющей высокоэнергетические соединения фосфора в клетке — цГМФ), который вызывает расслабление стенок кровеносных сосудов в пещеристом теле пениса. Подобное действие эти препараты должны оказывать на женщин, задерживая кровь в клиторе. Однако этого не происходит. Эффективность применения виагры и ее аналогов у женщин не превышает 3%, тогда как у мужчин составляет более 70%.

Сексуальную холодность женщин следует лечить иначе: начинать с головы, а не с клитора. Самый перспективный на сегодняшний день пре-

Зачем нужны мужчины?

парат — это PT-141, проходящий в настоящее время клиническое тестирование в Центре наук о здоровье университета штата Аризона. PT-141 является синтетическим аналогом вырабатываемого мозгом пептидного гормона alfa-MSH (альфа-меланоцит).

И что интересно, основное действие этого пептида сводится к усилению пигментации кожи для ее защиты от ожогов, вызываемых ультрафиолетовыми лучами. В ходе испытаний PT-141 у большинства мужчин, принимающих этот препарат, появлялся необычный для них загар. Но не только. Свыше 83% испытуемых в своих отчетах сообщали о случаях непроизвольной, продолжительной эрекции. Похожее состояние сексуального возбуждения отмечали и женщины. А значит, есть большая вероятность, что в скором времени все мужчины будут загорелыми, а женщины не только загорелыми, но и удовлетворенными...

Утверждать, что женщинам не нужен оргазм, чтобы получить удовлетворение от физической близости, столь же абсурдно, как и полагать, будто бездомные спят на улице, потому что им это нравится. Невежество мужчин, не понимающих значения оргазма для женщин, к сожалению, уходит корнями в далекое прошлое. Ведь если какую-нибудь чушь повторять тысячи лет, то в конце концов она становится всеобщим правилом или даже догмой.

Впервые пустил ее в обиход в глубокой древности, в 125 году н. э., некий Соран Эфесский, самый известный гинеколог и акушер античности. В одном из своих трактатов он написал, что «совершенно не имеет значения, испытывает ли женщина удовольствие», важен только оргазм у мужчины. Эта удобная для мужчин (учитывая кратковременную эрекцию, гедонистический эгоизм, незнание эрогенных зон женского тела и т.п.) теория быстро распространилась и, хоть по сути своей и неверная, существовала на протяжении веков. Когда в 1859 году врач Пьер Брике обнаружил у женщин оргазм, вызванный стимуляцией клитора, он причислил его к проявлениям «сильной истерии». Настолько опасной, что двадцатью годами позже его коллега по профессии, тоже француз, некий доктор Замбакко, рекомендовал французским властям выжигать клиторы раскаленным железом, дабы «предотвратить усугубляющееся падение нравственности». И по сей день, в XXI веке, в некоторых африканских странах молодым женщинам вырезают клиторы, иногда даже ржавым и тупым ножом.

В том же XIX веке в не столь далекой Англии, кичащейся своей «демократией», воцарился викторианский пуританизм, пронизанный ханжеством и небывалой фальшью. Женская сексуальность там полностью отрицалась и осуждалась.

Тогдашний английский джентельмен превосходно себя чувствовал в мире двуличной морали, лицемерия и лжи. По вечерам он охотно посещал многочисленные бордели (в 1885 году в одном лишь Лондоне было 3335 публичных домов, насчитывающих свыше 30 тысяч проституток; в том же году в Париже домов терпимости было всего 204), а утром читал псевдонаучные откровения некоего викторианского сексолога, весьма авторитетного в ту пору доктора Уильяма Эктона. Тот категорически настаивал, что «большинство женщин в очень незначительной степени беспокоят какие-либо сексуальные ощущения».

С другой стороны, тот же эскулап Эктон не преминул, к огромной радости джентельменов с берегов Темзы, в одном из своих трудов заявить: «Нельзя недооценивать силу сексуального влечения». Разумеется, он имел в виду исключительно мужчин. В Лондоне того времени никто, конечно, и не думал этого недооценивать. Никогда еще в истории города не было столько проституток, как тогда, в эпоху расцвета ханжества. И никогда в борделях не было таких экзотических развлечений. Стилизованные под средневековые камеры пыток, наборы плетей, кнутов и розг, но прежде всего — девственные проститутки. Хотя секс с женщинами, не достигшими двадцати одного года, в Англии с 1850 года был запрещен, этот указ никого особенно не волновал. А поскольку цены на секс с девицей (девственницы редко бывали заражены триппером или сифилисом) были самые высокие, в викторианские бордели Лондона, Ливерпуля, Манчестера и Эдинбурга нередко попадали — в неволю их зачастую продавали родственники — даже двенадцатилетние девочки (как пишет Ники Робертс в необычной книге «Шлюхи в истории. Проституция в западном обществе», Варшава, 1997; рекомендую эту книгу всем феминисткам!).

Возможно, все это было связано с тем, что многие женщины тогдашней Англии поддались влиянию королевы-матери Виктории и таких фанатиков, как Эктон, и всеми силами отрекались от своей сексуальности. Испытывать, а тем более проявлять хоть какую-то радость от супружеского секса являлось свидетельством крайней распущенности и никак не соответствовало модели поведения настоящей английской леди. Поэтому ничего удивительного, что перед первой брачной ночью матери наставляли своих безумно напуганных дочерей: «Закрой глаза, стисни зубы, разведи ноги и думай, что делаешь это ради Англии».

Но и в те времена бывали исключения. Ни ради своей родной Франции, ни тем паче ради Англии этого наверняка не делала одна очарова-

тельная брюнетка, Аврора Дюпен, не вынимаю-
щая изо рта сигары и более известная под име-
нем Жорж Санд. Многие утверждают, что она
предавалась любовным утехам с удовольствием,
в частности, с Фредериком Шопеном. Да и не
только. Также с Мари Дорваль (скандал по тем
временам), французским художником Александ-
ром Мансо и французским писателем Альфре-
дом де Мюссе.

Писательница Жорж Санд провозглашала то,
что в ту пору было опасной ересью: «Женщины
испытывают такое же сильное половое влечение,
как и мужчины, а различие между полами в том,
что последние в своем большинстве не способны долго сохранять верность одному партнеру».
В наши дни так высказываются сексологи с на-
учными степенями. Для многих тогдашних мужчин это была лишь гнусная провокация разврат-
ной лесбиянки. Санд называли женщиной,

мыслящей отнюдь не головой; Ницше называл ее
пишущей коровой, а Бодлер — выгребной ямой.

К счастью, в настоящее время в цивилизован-
ных странах мужчины все лучше понимают сущ-
ность и значение женского оргазма, хотя по-прежнему считают, что их собственный все-таки
важнее. И сосредоточены они главным образом
на своем. Мужчины, несмотря на обилие широ-
кодоступной информации, по-прежнему не
придают серьезного значения женскому сексуальному удовлетворению. Большинство из них,
как это ни поразительно, считают, что между сексом и игрой в гольф много общего: не обязательно обладать умением, чтобы получать удовольствие. Метко и остроумно высказался на этот счет
американский писатель (и телевизионный шоу-
мен) Льюис Макдоналд Гриззард Младший:
«С тех пор, как это и женщинам стало доставлять

удовольствие, секс уже не тот, что прежде». Впрочем, захватывающая история женского оргазма — тема для отдельной книги...

К сожалению, мужчины способны испытывать влечение одновременно к нескольким женщинам. Вину возлагать за это можно в общем-то на эволюцию. Рассел Кларк и Элайн Хатфилд, американские психологи и сексологи, внесшие большой вклад в науку об эволюционно обусловленных поведенческих реакциях человека, в 1978—1982 годах провели в университете штата Флорида ряд экспериментов с целью сравнить предрасположенность женщин и мужчин к случайным сексуальным связям. В рамках одного из экспериментов в студенческий городок отправили привлекательную молодую женщину, которая знакомилась со студентами и после короткого общения предлагала им на выбор три разных, не исключающих друг друга варианта продолжения беседы: 1) пойти поужинать, 2) пойти к ней домой, 3) интим в ее квартире. Около 69% мужчин были готовы сразу отправиться к ней домой и свыше 72%, не колеблясь, согласились на интим. И только 53% захотели с ней поужинать. Аналогичный эксперимент, но с привлекательным молодым мужчиной в качестве «приманки» показал, что всего лишь 3% женщин решились пойти домой с незнакомцем, причем ни одна (!) из них не согласилась на интим. Около 50% женщин тем не менее приняли приглашение поужинать.

Кроме различий в подходе к спонтанному сексу (что для меня вовсе не удивительно, хотя я уже очень давно не студент), интересным представляется факт, что мужчинам легче пойти с женщиной в постель, чем на прогулку или поужинать. Психологи, занимающиеся эволюцией, считают, что причина тут чисто биологического

Зачем нужны мужчины?

свойства. Мужчины могут, благодаря случайным половым связям с незнакомыми женщинами, произвести на свет больше детей и, заодно получив удовольствие, уменьшить колоссальный переизбыток спермы в мире, в то время как женщины способны за свою жизнь родить ограниченное число детей и потому вынуждены с изрядной осторожностью подыскивать потенциальных отцов, отказывая себе в радостях секса. Короче говоря, для мужчин важно количество, для женщин — качество. Женщины любят обзаводиться вещами, но гены предпочитают приобретать с большой осмотрительностью.

По мнению Дэвида Бараша, психолога и биолога из Сиэтла, такое поведение женщин вполне нормально. Ненормальным он считает продиктованный социально-этическими ограничениями тезис, что женщине, чтобы быть счастливой, нужно безраздельно владеть мужчиной. Большинство современных женщин не согласны с Ба-рашем. В отличие от еще большего числа мужчин.

Тенденция к полигамности у мужчин не за-висит от того, состоят ли они в постоянном со-юзе с одной женщиной. Около 72% мужчин в воз-расте до 55 лет подумывали об измене (по данным газеты «Time» за 2001 год), но только 56% ее со-вершили. Своим партнершам чаще изменяют за-конные мужья, чем холостые мужчины, состоя-щие в устойчивой связи. Прав был Марк Твен, утверждая: «Неправда, что женатые мужчины при виде красивой женщины забывают о том, что они женаты. В эту минуту их особенно удручает имен-но воспоминание об этом». К сожалению, вспо-минают очень редко и чаще всего слишком по-здно...

Другие исследования, проведенные в 2001 году среди американских студентов, показа-ли, что, если женщины хотели бы иметь за жизнь в среднем четыре-пять партнеров, мужчины мечтают о восемнадцати женщинах. Примерно 32% мужчин, стоит им дать волю воображению, мечтают о сексе с более чем тысячью партнерш. Среди женщин о подобном мечтали только 8% опрошенных.

Квинтэссенцию мужского промискуитета замечательно изложил известный специалист в области эволюционной психологии профессор Дэвид М. Басс из Техасского университета в Остине, так написав в одной из своих книг о типично мужской сексуальной мечте: «Я — бургомистр небольшого городка, в котором полно голых девушек в возрасте от 20 до 24 лет. Прохаживаясь по улицам, я выбираю самую красивую на сегодняшний день, которая тотчас же мне отдается. Каждая уступает мне всякий раз, как я ее пожелаю».

Сексуальные фантазии мужчин (не только студентов) исследовались также в значительно большей группе респондентов, в 2004—2005 годах отвечавших на анкеты Института Кинси. Оказалось, что свыше 86,8% мужчин, состоящих более семи лет (число 7 — не случайность, но об этом позже) в постоянной связи, снимая сексуальное возбуждение мастурбацией, воображают при этом не свою постоянную партнершу, а совсем другую женщину. У остальных опрошенных их постоянная подруга хотя и появляется в мыслях, но намного реже, чем другие женщины. Кроме того, примерно у 4% мужчин — наряду с двумя-тремя другими женщинами. Более того, на вопрос, почему, имея постоянную половую связь с женщиной, они тем не менее мастурбируют, анкетируемые нередко с грубой откровенностью отвечали: «Потому что ради нескольких минут удовольствия мне не надо никого добиваться».

Что же касается поразительно часто упоминаемых загадочных «семи годах» в истории отношений между женщиной и мужчиной, то для нейробиологов и антропологов цифра 7 лишена загадочности. По мнению Хелен Фишер, седьмой год очень опасен для каждого союза. Состояние влюбленности неминуемо проходит, в лучшем случае — к середине пятого года (Фишер отмечает, что пик разводов в мире — по данным Всемирной организации здравоохранения — приходится на пятый год совместной жизни). Концентрация пьянящего, подобно амфетамину, и вызывающего любовную эйфорию фенилэтиламина в мозгу снижается до уровня «предшествующего влюбленности», а эндорфин (по своему химическому воздействию схож с героином и воспринимается теми же рецепторами) появляется исключительно во время близости, которая становится все более редкой. Женщина интуитивно это чувствует и, чтобы сохранить союз, рожает ребенка, который удерживает мужчину в среднем около трех лет. Четыре + три = семь. Обычная беспощадная арифметика ученых в пересчете на число бракоразводных дел в судах — в Польше, в пока еще объединенной Европе, в Австралии, а также в Америке.

Реже всего наблюдаются измены среди бедных мужчин и партнерш богачей. Только одна из ста женщин, состоящих в связи с представителями состоятельной элиты, решается на измену, в то время как безработным мужчинам изменяют около 30% их партнерш. У мужчин — все наоборот. Чем мужчина беднее, тем более он верен. И ни биологические, ни нейрохимические факторы здесь ни при чем. Секса хотят одинаково и нищий, сидящий возле банка, и президент того же банка, которого у входа ждет лимузин. Однако у последнего гораздо больше возможностей удовлетворить свое желание.

Половое влечение (главным образом у мужчин) ограничено рядом запретов, налагаемых тремя крупнейшими мировыми монотеистическими религиями: исламом, иудаизмом и христианством. Несмотря на многие различия, все они в большей или меньшей степени признают десять заповедей, переданных миру Моисеем. Три из них: шестая, девятая и десятая — по форме запреты — относятся как раз к вожделению, которое в Средневековье воспринималось как нечто грязное, опасное, грозящее смертью или в лучшем случае неизлечимым увечьем.

Именно средневековое христианство наложило на вожделение клеймо греха и тяжелейшей вины, а также ввело «табу спермы и крови», запретив даже помышлять о сексе. Половые связи, главной целью которых не являлось продолжение рода, приравнивались к проституции. Такой подход к вожделению достиг своего абсурдного апогея в XII веке, когда парижский теолог Гюго из аббатства Святого Виктора провозгласил, что даже супружеские соития — «разврат», потому что «совокупление родителей не лишено похоти и зачатие детей происходит не без греха». Правда, в XIII веке Фома Аквинский осмелился опровергнуть Гюго, заявив, что в сожительстве супругов удовольствие от полового акта позволительно в определенных границах, но это был глас вопиющего в средневековой пустыне. Впрочем, глас, на многие века забытый.

То были странные и очень мрачные времена. И что интересно, за распутство наказывали главным образом женщин, полагая именно их источником всякого зла. Чему же здесь удивляться? В одной из Книг Библии, Премудрости Иисуса, сына Сирахова, мы читаем: «От жены начало греха, и чрез нее все мы умираем» (Сир. 25, 27). Мужчины же разве что в минуту слабости поддаются искушению и не в силах сдержать свою неистовую похоть. В XIII веке сожжение на костре так называемых ведьм было частым, популярным и очень впечатляющим зрелищем. Ведьмам приписывалась вся грязь «телесного развращения», каковым считался секс. Царило также убеждение, что они вступают в соитие с чертями, которые наполняют их ледяной спермой.

Эпоха Возрождения тоже была не лучше. Либерализм тех времен — не более чем миф. Сначала правителями были навязаны народу налоги, а потом взялись за введение сексуальных ограничений, каравшихся санкциями, не менее суровыми, чем в Средние века. В Италии в XIV веке за прелюбодеяние бросали в тюрьму, жен-изменниц, раздев до пояса, бичевали, а за соблазнение малолетних грозила смерть. В Англии времен Кромвеля, якобы очень либеральной, блудниц (но не блудников!) приговаривали к смерти.

В Средневековье потаскух просто изгоняли из города, в эпоху Ренессанса была запрещена проституция, а нарушивших запрет подвергали публичному бичеванию, сводниц в наказание отправляли на тяжелые работы. Во Франции в период правления Людовика XIV молодой женщине, пойманной с солдатами, отрезали нос и уши. В протестантской Англии (протестантизм славится большей либеральностью по сравнению с католицизмом) во время правления Генриха VII гомосексуалистов вешали «за совершение государственной измены» (sic!). И все это происходило в ту эпоху, когда на любовные похождения Дон Жуана и Казановы, а также на творчество Шекспира, Рембрандта, Мольера и Расина закрывали глаза...

С другой стороны, сексуальность мужчин была своего рода показателем их мужской состоятельности. Уважаемым и почтенным членом общества мог быть только сексуально полноценный мужчина. Сам Моисей говорил: «У кого раздавлены ятра или отрезан детородный член, тот не может войти в общество Господне» (Втор. 23, 1). В Римской империи, в свою очередь, кастраты не имели права давать показания в суде, что объясняется церемониалом принесения присяги. Мужчина давал клятву, положа ладонь на яички, которых уже не было у скопцов.

Мужчины реже, чем женщины, отождествляют с грехом сексуальное влечение не к своей партнерше/партнеру. Свыше 31% женщин считают греховным желать другого мужчину, но только 11% мужчин так оценивают влечение к другой женщине. И что интересно, представители обоих полов, как следует из анкет, в равной мере объявляют себя верующими.

Кстати, о грехе. Религия оказывает сильное влияние на сексуальное поведение. По крайней мере в Польше. Несмотря на возрастающую сексуальную свободу подростков, положение в Польше по сравнению с другими европейскими странами не так уж и плохо. Подтверждает это анализ результатов широкомасштабных исследований, проведенных в рамках программы «Health Behaviour in School-aged Children»[3], которой было охвачено более тридцати стран. Польша входит в группу стран с самым низким процентом молодежи, которая призналась, что половую жизнь начала ранее пятнадцати лет.

Как показывают исследования, проведенные Институтом статистики и демографии Высшей школы торговли в Варшаве, важным фактором, задерживающим первый сексуальный опыт молодежи в Польше, является система ценностей,

---

[3] Международная социологическая программа «Здоровье и поведение детей школьного возраста».

основанная непосредственно на религиозных убеждениях. В группе студенческой молодежи, для которой религия немаловажна, 71% женщин и 68% мужчин еще не начали половой жизни, в то время как среди тех, для кого религия не имеет большого значения, процент молодежи, не имеющей первого сексуального опыта, составлял приблизительно 25% у мужчин и 27% у женщин.

Это вовсе не значит, что жизнь людей религиозных автоматически становится лучше или счастливее. Сопоставление так называемой степени счастья (социологические исследования специально созданной комиссии Евросоюза в рамках программы за 2005 год) поляков и крайне атеистических, не признающих учений ни одной из религий, но близких нам в культурном и географическом плане чехов показывает, что различия невелики и несущественны. Частота разводов в Чехии и в Польше, согласно статистическим данным, одинакова. Почти идентичные показатели отмечаются — на основании анонимного анкетирования — и в отношении числа производимых абортов (разрешенных в Чехии!).

В таких теократических странах, как, например, Иран, где действуют драконовские законы и грозит тяжелое наказание за до- или внебрачный секс, мужчины отнюдь не желают его меньше или иначе. Известно об этом (полагаю, на собственном опыте) и тем, кто ими правит. Шиитский ислам в Иране умело использовал право на многоженство (мужчина может иметь там до четырех жен) и ввел институт так называемого «пробного брака».

На первый взгляд, идея очень хорошая. Молодые могут лучше узнать друг друга до свадьбы и таким образом избежать жизненно важной ошибки. Но, если взглянуть правде в глаза (а тегеранские власти глаза закрывают), все обстоит не так уж прекрасно. «Пробный брак» создал лазейку для узаконенной проституции (официальная, разумеется, запрещена).

Немолодые женатые иранцы зачастую подыскивают женщину, желающую выйти замуж или находящуюся в трудном материальном положении, ведут ее в нотариальную контору и в присутствии нотариуса подписывают контракт «пробного брака». По иранским законам срок такого договора может длиться от нескольких минут (sic!) до 99 лет. Первая жена не обязана даже знать об этом (и, как правило, не знает). Нотариальный сбор составляет что-то порядка 30 долларов. Чаще всего прямо от нотариуса «молодожены» перебираются в какое-нибудь другое, более уютное помещение, где разрешается немедленно «снять пробу». По истечении срока контракта брак расторгается — как будто его вообще не было.

В 2005 году число «пробных браков» в Иране выросло на 45% по сравнению с 2004 годом, о чем с тревогой сигнализировала летом 2006 года газета «Hamschahri» в специальном приложении для иранской молодежи. Авторов публикации волновало в первую очередь то, что женщина (теоретически) должна приносить в качестве приданого девственность. На это в Иране также закрывают глаза. В Коране нигде не сказано, что девственницы будут лучшими женами. Собственно, даже наоборот. Только одна из жен Магомета до первой брачной ночи была девицей. И вовсе не стала по этой причине самой любимой...

В иудаизме сексуальная жизнь официально регулируется очень подробным и зачастую кажущимся европейцу экзотическим законом. Внебрачные связи и гомосексуализм, из религиозных соображений, полностью запрещены. Не допускается и осуждается половая близость (в том числе любые прикосновения), когда у женщины менструация. Этот запрет распространяется и на неделю, следующую после прекращения кровотечения. Только спустя неделю женщина «очищается» во время ритуального купания (ивр. *mikwe*), и в этот вечер супруги могут быть близки. Что не только разрешается — этого ждут. Кроме того, у ультраортодоксальных евреев секс допускается лишь в темноте. Впрочем запрещены и сексуальные фантазии, относящиеся к собственной жене (sic!), а также рассматривание ее гениталий. Оральный секс, выполняемый женщиной (*fellatio*), разрешен, и наоборот: выполняемый мужчиной с женщиной (*cunnilingus*) — запрещен. С недавних пор мужчинам разрешается использовать виагру при условии, что ее принимают в желатиновых капсулах, которые, как решил один из раввинов два года назад, в таком виде кошерны. По иудейским обычаям на восьмой день после рождения все еврейские мальчики проходят обряд обрезания. Что связано с очень древней традицией: обрезание знаменует присоединение человека к Завету между Богом и еврейским народом. Эта традиция в наше время имеет практические и весьма положительные последствия. Число заболеваний раком шейки матки у израильских женщин намного ниже, чем в других странах. Обрезанные мужчины вносят во влагалище значительно меньше патогенных микроорганизмов (не только бактерий и вирусов).

Как это ни парадоксально, но отсутствие полового влечения у мужчин осуждается и осуждалось еще на заре истории. Более восемнадцати веков назад Клемент Александрийский, писатель и христианский теолог, основатель известной александрийской школы катехизиса, написал: «Евнух — не тот, кто не может, а тот, у кого нет желания испытывать страсть». Интуитивно он во многом был прав. Кастрирование не всегда сразу же лишает сексуального влечения. Немалое число мужчин проявляет сексуальную активность даже через два года после оскопления. Независимо от того, в каком возрасте мужчину лишили яичек, большинство может иметь эрекцию. Именно поэтому в гаремах персидских султанов «работали» евнухи (*eunouchos* по-гречески значит «блюститель ложа»), лишенные и яичек, и — для пущей надежности — члена. Когда традиция кастрирования (но без удаления пениса) со временем дошла до Китая, то евнухи даже получили право обзаводиться женами.

Кастрация — в физическом смысле (в форме хирургической операции) — окончательно исчезла только в семидесятые годы XVIII века, после введения специального папского запрета. Трудно, однако, не согласиться с Вуди Алленом, который утверждает, что сегодня мужчину можно кастрировать без скальпеля, одной фразой: «Я бы предпочла, чтобы ты был моим другом, а не любовником».

Перевод О. Катречко

Mężczyzna molekularny

Мужчина на 3 молекулярном уровне

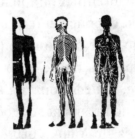

Вполне возможно, Дон Жуан был всего лишь любовным наркоманом, зависимым от эндорфинов, которые синтезировал его мозг при сексуальном возбуждении.

Повышенное (для так называемых нормальных людей) и не обусловленное видимой причиной половое возбуждение, удовлетворяемое регулярно либо нет, может переродиться в болезнь, определяемую как эротомания. Нейробиологи объясняют ее сильнейшей зависимостью от наркотических эндогенных опиоидов (эндорфинов), выброс которых происходит во время стремления к оргазму и по достижении его (эротоманию могут спровоцировать также болезнь Альцгеймера, опухоль мозга, энцефалопатия и эпилепсия).

Кажется вполне правдоподобным, что прототип Дон Жуана Де Марко был своего рода «любовным наркоманом». Кстати, как и знаменитый Джованни Джакомо Казанова (1725—1798), выдававший себя за аристократа сын бедных актеров бродячей труппы из Венеции. Анализ его собственноручно записанных воспоминаний доказывает, что Казанова был человеком, одержимым сексуальной манией. Испанский эндокринолог Грегорио Марафион в одной из своих работ отнес Казанову к «евнухоподобному мужскому типу», неустанно стремящемуся доказывать свою сексуальную мощь, сам не будучи убежден, что ею обладает. Невероятно, но Казанова очень часто прибегал к услугам проституток. В своих мемуарах он утверждает, что в одну из них, Шарпийон из Лондона, он даже был «влюблен». Это закончилось для него весьма печально, ибо именно она заразила его гонореей, от которой он и умер[4].

Скрупулезные исследования, опирающиеся на результаты сканирования мозга эротомана с помощью магниторезонансного томографа (МРТ), показали, что за повышенное половое влечение отвечают области относительно неболь-

***

[4] Здесь, по всей видимости, неточность автора. У Казановы в старости была подагра и заболевание простаты. Ни о какой гонорее, от которой он якобы умер, многочисленные источники сведений о жизни Казановы не сообщают.

шого участка нейронной паутины (так называемого «центра удовольствия»), локализованного в среднем мозге (в лимбической системе). Участок этот активизируется под влиянием допамина, называемого еще нейромедиатором радости. Центр удовольствия получает положительный стимул от допамина, что позволяет удовлетворить такие — с точки зрения эволюции самые насущные — потребности, как голод, жажда, безопасность или половое влечение. Именно в этом фрагменте нашего мозга рождается возбуждение вообще, чувство удовольствия и мотивация для его получения. Допамин — это своего рода аналитик и оператор, который награждает человеческий мозг или незамедлительно поднимает тревогу, если награда оказывается ниже ожидаемого уровня.

У людей, попавших в зависимость от химических веществ (например, наркотиков, никотина, алкоголя), центр удовольствия положительно стимулируется, только когда в организм попадают высвобождающие допамин вещества. Сразу после их исчезновения из организма происходит драматическое понижение концентрации допамина, что ведет к мгновенному изменению настроения — то есть люди зависимые переходят от состояния эйфории к состоянию болезненного ощущения голода, который могут удовлетворить исключительно новой порцией таких веществ. Очень образно это выразил Джордж Д. Карлин, знаменитый американский композитор, а прежде всего сатирик, высмеивающий помешательство американского общества на кокаине: «Кокаин делает из тебя нового человека, и первое, чего жаждет этот новый человек — все больше кокаина».

Три так называемых тяжелых наркотика — ЛСД, амфетамин и кокаин — повышают концентрацию допамина в мозге и вызывают сексуальное возбуждение. Кстати, таким же образом действует на человека леводопа (L-DOPA) — лекарство, давно применяемое при лечении болезни Паркинсона. Об этом прекрасно известно и медсестрам во многих стационарах, и обескураженным странным поведением своих супругов немолодым уже женам, которые совсем не рассчитывали на эротические приключения — да еще с собственными мужьями — на пороге золотого юбилея. Неожиданно для себя, благодаря достижениям фармакологии, они из женщин, которые стали уже только волнующим эротическим воспоминанием для своих мужей, вынуждены вновь, зачастую весьма неохотно, превращаться в любовниц. Противоположное допамину действие (в том числе и просексуальное) оказывает другой важный нейромедиатор: серотонин. Его присутствие в мозге служит прежде всего торможению неуправляемой реакции на раздражитель.

Зачем нужны мужчины?

Такая защита необходима для того, чтобы человек смог ощутить состояние насыщения. Подобное состояние венчает любой приносящий удовольствие процесс (без серотонина люди, к примеру, ели бы без всякого удержу).

При отсутствии либо при слишком низкой концентрации серотонина и удерживающемся на высоком уровне содержании допамина такого не происходит. Доктор Донателла Мараззити, психиатр (исключительно привлекательная блондинка) из университета в Пизе, доказала, что у влюбленных уровень серотонина заметно понижается. Причем до значений, типичных для людей, страдающих неврозом навязчивых состояний (называемых сейчас обсессивно-компульсивными расстройствами). Импульсивная мания мыть руки каждые пять минут и состояние влюбленности имеют между собой много общего. По крайней мере на молекулярном уровне.

Блокирование (методами генной инженерии) выработки серотонина в мозге крысы ведет к сексуальной сверхактивности и безудержному аппетиту. И тут трудно определить: то ли бедные ожиревшие крысы сдыхают (а сдыхают они очень быстро) по причине депрессии, вызванной невозможностью покорять самок, которые с легкостью от них убегают, то ли от переедания, ведущего к крайнему ожирению сердца. Серотонин необходим для уравновешивания действия допамина.

Исследования, проведенные в репрезентативной группе «вылечившихся» алкоголиков, показали, что у многих из них после выхода из запоя появилась склонность к эротомании. Еще в тридцатые годы прошлого столетия на это обратил внимание доктор Уильям Дункан Силкворт, который одним из первых в мире признал алкоголизм болезнью и снял с нее одиозный покров слабости характера. Современные ученые объясняют это простой заменой стимуляторов центра удовольствия при постоянно низком уровне концентрации серотонина в мозге людей, зависимых от допаминового возбуждения. Это может подтверждать истинность довольно печального правила, которое гласит, что в сумме своей количество зависимостей человека остается постоянным в течение всей жизни. Меняются только сами зависимости.

Галлюциногенные вещества, выделяемые из конопли и некоторых грибов, также весьма результативно воздействуют на сексуальную компоненту центра удовольствия. В ходе исследований, проведенных Уильямом Мастерсом и Вирджинией Джонсон, классиков в области сексологии, свыше 75% мужчин, регулярно курящих коноплю либо употребляющих «волшебные грибочки», не хотели порывать с вредной привычкой только потому, что не желали отказаться от

83

«космической радости секса "под кайфом"». Действие, подобное действию конопли, оказывают также искусственно синтезированные амилнитрит и вещество под названием метаква. Последнее значительно продлевает оргазм, расслабляя гладкую мускулатуру и увеличивая приток крови к капиллярам в пещеристом теле полового члена, в то время как амилнитрит продлевает не сам оргазм, а так называемую фазу plateau сексуальной реакции непосредственно перед оргазмом.

Некоторые мужчины для усиления вышеупомянутой «космической радости» прибегают к довольно отвратительным вещам. Давно известно, что психоделически и сексуально возбуждающе действует вещество под названием 5-MeO-DMT (5-метокси-N, N-диметилтриптамин). Его можно, правда, синтезировать в лаборатории и потом нелегально выбросить в продажу, но можно также добыть совершенно легально — в природе. До-

84

статочно всего лишь найти жабу ага (*Bufo marinus*), напугать ее, а затем, поймав, слизать выступивший на поверхности ее кожи ядовитый секрет. Эта огромная (до 25 сантиметров в длину) жаба, родом из Южной Америки и завезенная в Австралию (и, кстати, широко расселившаяся там), в целях защиты покрывается в момент угрозы липкой ядовитой мазью. В химическом составе этой мази в числе прочего есть и упомянутый 5-MeO-DMT. В голове не умещается, но судя по сообщениям, вывешенным в Интернете, находится немало мужчин, которые ради наркотическо-сексуального «прихода» (подобного тому, каковой вызывает ЛСД) облизывают жабу ага и сразу после этого (действие 5-MeO-DMT наступает минут через двадцать) начинают заниматься сексом. Правда, необязательно с жабой...

Химия на службе секса имеет долгую историю. В останках многих древнеегипетских мумий

химики, к своему огромному удивлению, откры-
ли следы кокаина. Ученые до сих пор не перестают удивляться, поскольку кокаин получают из
листьев коки, «божественного растения инков»
(лат. *Eryhroxlon coca*), распространенного в Южной Америке. Неужели это свидетельствует о том,
что древние египтяне каким-то таинственным
образом (каким, остается невыясненным по сей
день) поддерживали контакты с народами по другую сторону Атлантического океана? Помимо
этого оказалось, что сексуально возбуждающие
наркотики были широко распространены в бли-
жайшем окружении фараонов (и их наложниц).
Например, известная своими экстравагантными
сексуальными выходками царица Египта Клеопатра смешивала вино с опиумом и с галлюци-
ногенной *Datura stramonium* (дурман обыкновен-
ный; в Мазовии и в Варшаве, особенно в среде
наркоманов, известен и популярен под названи-

Зачем нужны мужчины?

ем дурьё). Это показал тонкий химический анализ взятых с мумии Клеопатры проб. По мнению специалистов, Клеопатра вошла в историю лишь благодаря тому, что покончила жизнь самоубийством и, будучи неисправимой эротоманкой, пользуясь своей властью, постоянно вводила в искус наиболее влиятельных мужчин своего времени. Так и только так ей удавалось воздействовать на ход истории. Сегодня Клеопатра VII могла бы таким способом влиять разве что на заголовки бульварной прессы.

У женщин случаи эротомании — называемой нимфоманией, — как показывает статистика, наблюдаются в четырнадцать раз реже, нежели у мужчин (попутно заметим, что термин «нимфомания» по отношению к мужчинам вообще не может быть применим, поскольку соответствующее название повышенного мужского сексуального влечения звучит как *satyriasis*). Вполне возможно, это связано с пониженным уровнем тестостерона. Часть адрогинных женщин, у которых повышена концентрация тестостерона в крови и которые соединяют в себе женские и мужские психические черты, согласно исследованиям, в большей степени проявляют склонность к нимфомании (и, что особенно любопытно, обладают более высоким интеллектуальным уровнем). Валери Тассо, автор нашумевшей книги «Из дневника одной нимфоманки», считает, что нимфоманок не существует. По ее мнению, нимфомания — всего лишь выдумки закомплексованных мужчин, не сумевших справиться с женщинами, уровень либидо (полового влечения) которых выше среднего.

Противоположностью нимфомании является ангедония, определяемая как неспособность получать удовольствие. Ангедония — серьезное психическое нарушение, проявляющееся зачастую сильнее всего либо исключительно в сфере сексуальности. У мужчин оно связано с функциональными нарушениями в процессе возбуждения и носит название эякуляционной ангедонии. Физиологически мужчина, страдающий ангедонией, вполне способен к эякуляции, но ей не сопутствует наслаждение. Награжденный Оскарами в четырех номинациях фильм Вуди Аллена «Энни Холл» первоначально назывался «Ангедония», но это название было отвергнуто продюсером как некоммерческое. Хотя сам Вуди Аллен всячески это отрицает, но «Энни Холл» считают наиболее автобиографическим из его фильмов.

В промежутке между двумя крайностями — ангедонией и эротоманией — располагается большинство взрослых мужчин, у которых желание совокупляться возникает от нескольких десятков (возрастная группа 25—35 лет) до нескольких (возрастная группа 41—55 лет) раз в неделю.

Они составляют 91% населения (по данным опросных листков немецкого журнала «Freundin»). В группе женщин этот процент значительно ниже: только 52 женщины из 100 нуждаются в сексе столь же часто, как и мужчины. Потому, вероятно, им кажется, что мужчины только об этом и думают. И, в свою очередь, они обижаются, когда мужчины перестают об этом думать. Женщины, особенно молодые, зная о диспропорции в интенсивности влечения и частоте его возникновения между ними и их партнерами, нередко этим пользуются. По данным немецкого «Плейбоя» от 2005 года около 56% женщин на определенном этапе своего брака используют отказ от секса с партнером в качестве наказания или в воспитательных целях. И только 11% мужчин «наказывают» своих женщин, отказывая им в сексе.

Кроме того, долголетний брак ослабляет сексуальное влечение как у женщин, так и у мужчин и — сколь парадоксальным это ни кажется — гораздо чаще такое происходит с женщинами. По данным исследований ученых из больницы университета Гамбург-Эппендорф, опубликованных в этом году на страницах «Human Nature», отчетливо видно, что женщины теряют интерес к сексу в браке значительно быстрее, чем мужчины. Оказалось, что в первоначальном периоде своего брака 60% женщин регулярно ощущали потребность в сексуальном контакте. Спустя четыре года этот процент опускался ниже пятидесяти, а после двадцати лет совместной жизни — снижался до двадцати. У мужчин же пропорция эта оставалась на более или менее постоянном уровне — 60–80%.

И что показательно, снижение интереса к сексу с партнером, с которым женщины оставались в долголетнем семейном союзе, не находит статистического подтверждения для объяснения их предрасположенности к мигреням. То есть головная боль в большинстве случаев — всего лишь отговорка. И отговорка, которая вредит в первую очередь самим женщинам. Эндорфины, выделяющиеся в мозге во время полового акта, избавляют от головной боли значительно лучше, нежели, к примеру, ибупрофен. Это также подтверждено задокументированными исследованиями.

Сексуальное влечение у мужчин порой приносит вред их здоровью. Судите сами: во время оргазма пульс, который в спокойном состоянии составляет семьдесят ударов в минуту, во время акта подскакивает до ста восьмидесяти, чтобы затем весьма резко упасть. Для многих мужчин это может оказаться смертельным. Около 20% страдающих *angina pectoris* (то есть сердечной, так называемой коронарной недостаточностью) реагируют на подобные скачки сердечными присту-

Зачем нужны мужчины?

пами, часто прямо в процессе полового акта. В Японии около 0,5% всех смертельных исходов среди страдающих сердечными заболеваниями происходит как раз во время секса. Любопытный факт: у мужчин с сердечной недостаточностью, регулярно занимающихся сексом со своими женами, не зафиксировано резких скачков пульса. Как правило, пульс бывает таким же, как при подъеме на пару-тройку лестничных маршей.

В последнее время число случаев *mort douce* («сладкой смерти») сильно возросло. Это связывают с появившимся в аптеках целым океаном аналогов виагры. Данные средства действуют подобно нитроглицерину, применяемому в крайних случаях сердечной недостаточности, проявляющейся в удушье. Если во время полового акта мужчина чувствует приближение болевого приступа — что нередко случается в результате физического перенапряжения, — он тут же кладет таблетку нитроглицерина под язык. А если вдобавок до этого он уже принял виагру да еще выпил (что тоже не редкость в таких ситуациях), то не может справиться с усиленным виагрой воздействием нитроглицерина. Очень часто это заканчивается инфарктом, вызванным резким падением кровяного давления...

Перевод И. Подчищаевой

Podbrzusze mężczyzny: geografia intymna?

Мужчина *ниже пояса:*

④

интимная
география

Многие женщины считают, что, для того чтобы как можно лучше узнать мужчину, изучение следует начать снизу: с его паха. Некоторые из них не без язвительности добавляют, что на этом можно и закончить. Андрологи, ученые, занимающиеся мужскими проблемами (в большинстве своем тоже мужчины), без колебаний признают их правоту, но только наполовину. Они утверждают, что мужчина — это не-

что большее, чем только пенис, мошонка, яички, семенные протоки и сперма.

В интимной географии мужчин есть одна весьма удобная (для географа) особенность: оба полюса, экватор и два тропика на карте расположены на удивление близко друг от друга. Но иногда, поверьте, чтобы до конца понять топографию мужчины ниже пояса, стоит продвинуться и чуть дальше — в направлении мозга.

Красочные эротические журналы, такие, например, как «Playgirl», помещают на своих глянцевых разворотах оскорбительную для большинства мужчин неправду. Показанные крупным планом (причем в состоянии покоя) пенисы мускулистых и загорелых фотомоделей по своим размерам почти вдвое больше, чем средний пенис среднестатистического Ковальского. Ковальскому это очень обидно. Вишневскому тоже. Всю жизнь перед глазами мужчин маячат деления эталонного сантиметра. Сперва маленьким мальчиком он видит огромный кусок мясистой плоти, болтающийся между ног отца, потом ужасается, видя его у своих одноклассников под душем после физкультуры. Социологи давно уже обратили внимание на один характерный феномен: мужчинам врезаются в память (кстати, надолго) почти исключительно пенисы размером куда больше их собственного, хотя под обычным душем у большинства обычных мужчин пенисы по статистике не особенно велики. И вовсе не длиннее среднестатистических. В анатомическом атласе «The Atlas Human Sex Anatomy», учебном пособии, которым вот уже много лет рекомендуют пользоваться студентам медицинских факультетов во всем мире, длина пениса в состоянии покоя в среднем не больше 9,5 см. В состоянии эрекции прирост длины, также в среднем, составляет около 60%.

Czy mężcyźni są światu potrzebni?

Среднестатистический мужчина при таких пропорциях может предъявить своему сексуальному партнеру (любого пола) пенис от 12 до 18 см в длину при толщине от 8 до 12 см. В понимании большинства мужчин — это очень мало. Мужчина может мириться со своим маленьким ростом, может ездить в автомобиле более скромной марки, чем у соседа, жить в менее роскошном доме, чем у того же соседа, иметь гораздо меньше волос на голове и показывать в тестах более низкий уровень интеллекта (IQ), но тут же начинает комплексовать, если его пенис короче, чем у соседа. Если поразмышлять об этом глубже, можно прийти к выводу, что единственной общей чертой всех мужских пенисов является слишком маленький размер в глазах их обладателей.

Женщины на этот счет совсем другого мнения. Им в голову не приходит измерять доставляемые им радость и счастье в сантиметрах. Сексолог Шер Хайт из Штатов опросила свыше 400 женщин. Ни одна из них (sic!) размер пениса не сочла существенным. Уильям Мастерс и Вирджиния Джонсон в своих книгах напомнили об анатомическом обосновании результатов исследований Хайт: самое большое количество нервных окончаний находится в клиторе и в нижней трети влагалища. До клитора достает даже самый маленький пенис, а упомянутую треть может заполнить любой нормальный мужчина. У нормального мужчины и пенис нормальный.

С одиннадцатой недели беременности пенис плода начинает расти. Понемногу, около 0,75 см в неделю. В момент рождения у среднестатистического младенца мужского пола длина пениса составляет около 2,5 см. Через десять лет этот орган уже в среднем — 6 см. Потом, к шестнадцати годам, длина его удваивается в результате присутствия в системе кровообращения тестостерона, крайне интенсивно вырабатывающегося в период полового созревания. Помимо тестостерона влияние на развитие пениса оказывает также гормон роста. Если бы этого не происходило, то, к примеру, у пигмеев (у которых концентрация тестостерона в крови такая же, как и у мужчин нормального роста) были бы огромные — по отношению к их росту — пенисы. А это не так. Ко времени полного полового созревания всё уже произошло — по крайней мере, если говорить о пенисе. Количество клеток в пенисе определено раз и навсегда. До сего времени не открыто никаких иных гормонов, ни иных (био)химических веществ, которые могли бы заметно удлинить член или привести к его утолщению. Ни трансплантация мышечной ткани (операция, особенно популярная среди японских мужчин), ни наполнение пениса кровью с помощью вакуумных насосов (техника, широко рекламируемая в Гер-

Зачем нужны мужчины?

мании и Голландии), ни натирание его шершавыми крылышками насекомых (что практикуется у некоторых африканских племен) не приводят к увеличению количества клеток. Как правило, эта величина — постоянная. В 2004 году коэффициент разводов, причиной которых была бы «крайняя генитальная несовместимость», не превысил сотых долей промилле.

Единственным действительно существенным фактором у мужчины, о чем мечтают женщины (это вытекает из всех без исключения ответов на многочисленные анкеты и из других исследований), является длина гена, регулирующего синтез рецепторов гормона вазопрессина. Поскольку чем больше этих рецепторов, тем надежнее мужчина...

Гораздо чаще причиной развода с мужчинами, обладающими пенисом нормального размера, называют ненормальное его функционирование. В последнее время, чтобы не травмировать впечатлительных мужчин, этот недостаток в средствах массовой информации определяется весьма деликатно, с солидной научной серьезностью: «дисфункция эрекции». В кабинетах сексологов и урологов, за плотно закрытыми дверями, вещи уже называются своими именами, традиционно, без всяких яких: импотенция. Она в какой-то момент жизни настигает более 85% мужчин. С подобной перспективой современные, знакомые с данной проблемой мужчины уже смирились. Однако их лишает сна, наполняет страхом мысль о том, что пресловутый момент может наступить «на одно совокупление или одной женщиной раньше»...

Панический страх перед импотенцией проистекает из атавистической роли, каковую мужчины приписывают своему пенису. Они относились к нему как к самому важному своему органу, еще

104

когда жили в пещерах — и относятся так и сегодня. Не обошлось здесь без влияния доктрины, получившей широкое распространение со времен отца психоанализа Зигмунда Фрейда, который сотворил из пениса объект зависти. По Фрейду и всей огромной армии его научных последователей, женщины якобы постоянно одержимы «комплексом зависти к пенису», что многие мужчины — с нескрываемым удовлетворением — принимают как естественное доказательство своей доминирующей роли.

Проявляется это и сегодня, когда подобное разделение ролей не столь ярко выражено. Из самой свежей статистики фирмы DUREX (2007) следует, что наиболее любимым способом секса у 89,8% мужчин является оральный секс. Во время felatio (минет) женщина, как правило, стоит на коленях перед мужчиной — что само по себе символически подчеркивает мужское доминирование, а кроме того, наконец-то все внимание и все чувства (включая и чувство вкуса) женщины сосредоточены на самом главном для мужчины — на его пенисе. С другой стороны, только небольшое в процентном отношении количество мужчин готово «отблагодарить» женщину тем же самым. По анкетным данным видно, что едва ли 13% мужчин практикуют во время секса возбуждение женских гениталий языком или губами. А жаль: из тех же анкет мы можем узнать, что 96% женщин достигают при этом оргазма.

В основе большинства случаев застарелой импотенции лежат органические причины. Если же импотенция проявляется лишь эпизодически, в этом прежде всего виноват стресс. Доктор Томас Кройтциг, знаменитый немецкий уролог из Фрайбурга, один из авторов изданной в 2006 году интересной книги «Только для мужчин», утверждает, что стресс в 80% случаев является причиной периодически возвращающейся дисфункции эрекции. В периоды долговременного стресса вся гормональная система настраивается на борьбу, в то время как сексуальная активность требует от организма спокойствия и самообуздания. Помимо того, по мнению Кройтцига, после первой «осечки» возникает дополнительный сильный стресс, вызванный страхом, что и сейчас будет «так же, как всегда». Круг начинает замыкаться, а подобные эпизоды — повторяться...

Пенис — сложное гидравлическое устройство. Сексуально возбужденный мужчина ради того, чтобы добиться ожидаемой твердости члена, вынужден накачать в него почти в 20 раз больше крови, чем обычно. Кровь должна быть пропущена через кровеносные сосуды, которые, к сожалению, со временем засоряются. Главным образом, холестерином, который мужчины сами накапливают из-за неправильного питания, не всегда обоснованных стрессов или злоупотребления алкоголем и никотином. Кроме всего прочего, кровь должна оставаться в пенисе минимум несколько минут. Как утверждает один культовый автор очень популярных в Польше книг — в среднем одиннадцать минут, что для большинства мужчин совершенно недостижимо. К счастью, это только литературный вымысел (Коэльо сильно преувеличивает, но как писатель, а не лаборант в белом халате, имеет на это право). Стандартный половой акт с момента проникновения в вагину (либо в анус при анальном сексе) до эякуляции длится у регулярно занимающихся сексом мужчин около 2 минут 30 секунд. Для женщин это время растягивается в пользу — незаслуженную — мужчин как любовников до 5 минут 13 секунд.

Накопление необходимой для эрекции крови в пенисе требует своевременного уменьшения венозного оттока. Под действием различных факторов до этого дело может не дойти, или же уменьшение оттока может оказаться недостаточным (так называемая мягкая эрекция), либо проявиться не в нужный момент. Целиком весь этот механизм управляется нервной системой (мужчине, чтобы сексуально функционировать, не нужен головной мозг — сигналы идут из спинного), которая посылает в пещеристое тело полового члена электрические импульсы вместе с внутриклеточными веществами цГМФ и ФДЭ-5. С момента появления на рынке виагры, сиалиса и левитры — ингибиторов ФДЭ-5 — возникла возможность фармакологического влияния на протекание этого процесса.

Импотенция — это главным образом нарушения в гидравлической системе полового члена. Утверждения Зигмунта Фрейда о доминирующей у мужчины роли психики уже давно перестали быть актуальными. В настоящее время ученые, основываясь на современных знаниях, говорят, что только в 10% случаев причина импотенции кроется в психике.

Это совсем не означает, что психика импотента не страдает. У некоторых мягкость члена приводит к периодическому опасному «размягчению мозга». Мужчины меняют партнерш, как безумные охотятся за молодыми женщинами либо становятся постоянными пациентами кардиологов, если прямиком от телевизора, отказавшись от привычной пищи — чипсов и пива, бросаются в спортивные залы или начинают бегать на все мыслимые и немыслимые дистанции. Порой проходит немало времени, прежде чем мужчина смирится и вновь подружится со своим старым-«новым» пенисом.

Без яичек пенис был бы всего лишь сморщенной, вялой трубочкой для испускания мочи. Яички подобны работающей в четыре смены фабрике по производству семени. Именно здесь вырабатывается тестостерон, который делает мужчину мужчиной. Когда мужчина вынужден выбирать, защищать ли ему свои глаза или яички, почти всегда он выбирает последние. Чтобы в этом убедиться, достаточно посмотреть хотя бы один футбольный матч. Мужские яички с незапамятных времен защищались с особой тщательностью. В том числе и законом. Ветхий Завет (ВЗ 25, 11–12) предусматривал отсечение руки женщине, которая отважилась бы их раздавить (женщины испокон веку знали, что это наиболее чувствительный орган на теле мужчины). В свою очередь ассирийские законы яростно их защищали нижеследующим параграфом: «Если во время ссоры женщина повредит мужчине яичко, ей надлежит отсечь один палец. А если, несмотря на врачебную помощь, воспаление возникнет во втором яичке или же в ссоре женщина второе яичко расплющит, она будет подвержена отсечению обеих грудей или обоих сосков».

В римско-католической церкви, чтобы стать священником в старые времена, необходимо было доказать наличие обоих яичек. Как видно из истории, это требование не всегда выполнялось скрупулезно. С тех пор как в IX веке по недосмотру папой римским была избрана некая Джоан Джиллес (официально, несмотря на существование 500 рукописей, где изложена история понтификата папессы Иоанны, Ватикан категорически этот факт отрицает), процедура подверглась ужесточению, и был установлен довольно необычный способ проверки: кандидата в папы усаживали в мраморное кресло с отверстием посередине, через которое кардиналы путем ощупывания проверяли пол претендента.

По мнению андрологов, правда о мужчине заключена в его мошонке. Средней величины яички составляют в длину от 4 до 5 см и около 3 см в ширину. По неизвестным пока причинам левое яичко меньше правого, правда, незначительно. Вес мужских яичек существенно зависит от расы. У китайца они весят около 10 граммов, в то время как у среднего европейца — свыше 21 грамма. Величина яичек зависит от наследственности. Вероятность того, что сын унаследует от отца большие яички, доходит до 90%. Количество семени, вырабатываемого яичками, зависит от их размера. Большому размеру яичек соответствует более длинный пенис. Это связано (как я уже упоминал выше) с выработкой (в яичках) тестостерона, определяющего прирост длины члена в период полового созревания.

У млекопитающих выявлена тенденция, при которой яички крупнее у видов, практикующих полигамные отношения — в отличие от моногамных видов. Выработка спермы в яичках полигамных животных интенсивнее, отчего среди них и возникает соперничество, имеющее значение для выживания. Мужчина в сравнении с другими приматами кажется, учитывая эту закономерность, очень полигамным.

Яички у мужчины составляют 0,079% от массы его тела, а, к примеру, у ближайшего родственника *homo sapiens* самца гориллы — только 0,018%. У мужчины они в четыре раза крупнее (по отношению к массе тела), чем у самца гориллы. Как мы уже знаем, гориллы исключительно моногамны и в течение всей жизни вступают в половой контакт только с одной партнершей. Прямой противоположностью горилл можно назвать шимпанзе. Одна самка шимпанзе в период течки может вступать в сексуальные отношения с несколькими десятками самцов. Яички шимпанзе соответствующим образом для этого приспособлены. Их величина составляет 0,269% от массы тела, то есть яички шимпанзе втрое больше, чем у мужчины.

Яички помещаются в мошонке, которая является не чем иным, как необыкновенно успешно работающим термосом. Внутри мошонки действует естественный терморегулятор в виде мясистой оболочки, обладающей способностью к сокращению (лат. *tunika dartos*). В зависимости от наружной температуры оболочка сокращается или расширяется. Когда снаружи холодно, оболочка способна сократиться и сморщиться (таким образом уменьшив свою поверхность и редуцировав утечку тепла), становясь похожей на сушеную сливу. Именно благодаря мошонке температура в яичках держится на уровне 34,4°C, то есть ниже температуры тела.

Эта разница в два с лишним градуса имеет огромное значение. Количество сперматозоидов, вырабатываемых яичками при температуре 36,6°C, существенно уменьшается. Именно механизм терморегуляции ответственен за то, что яички, вместо того чтобы уютно и безопасно угнездиться где-нибудь внутри тела, как, например, почки или печень, с риском для себя выставлены наружу. Тайну эту разгадал в XVIII веке шотландский хирург Джон Хантер. Он открыл, что мужчины, у которых яички по разным причинам не опустились в мошонку, не могли зачать детей. Главная задача яичек, помимо производства тестостерона, заключается в выработке сперматозоидов: последние рождаются в специальных канальцах, или полых трубочках (напоминающих под микроскопом спагетти) и далее по семявыносящему протоку попадают в семявыбрасывающий проток, а оттуда — в мочеиспускательный канал. Между семенными канальцами находятся специальные клетки, которые секретируют тестостерон. Благодаря этому процессу яички играют роль «пропуска в мужественность». Мужчины, особенно молодые, сознательно или неосознанно считают центром своей мужественности пенис (в основном ту его часть, которая находится выше крайней плоти). Честно говоря, именно она, головка члена, моментами доставляет им больше всего наслаждения (и поэтому она — их бесспорный любимец, а они — ее самые верные фаны), но по сути все же яички, а не пенис, определяют принадлежность к мужскому полу. Многие зрелые мужчины, которые утратили яички в результате несчастного случая или рака, настаивают на наполнении мошонки искусственным суррогатом. И вдобавок ревностно следят за тем, чтобы этого суррогата не оказалось слишком мало...

«Яички служат для того, чтобы производить на свет «живчиков» и защищать их, пока те не станут самостоятельными». Так в 1677 году писал Антоний Ван Левенгук, пионер в биологии размножения, в своем знаменитом и очень смелом по тем временам письме, озаглавленном «Animakula in Semini» («Микроорганизмы в семени»), направленном в английскую Королевскую академию и ставшим научным пророчеством той эпохи. Трудно даже поверить, но сперматозоиды были открыты только во второй половине XVII века. Прежде чем уверовали, что эти «живчики», замеченные под микроскопом наблюдательным голландцем, являются сперматозоидами, ответственными за зачатие, должно было пройти еще сто пятьдесят лет. Впрочем, и сам Антоний Ван Левенгук считал «крохотные существа» подобными тем, которых он видел под микроскопом в капле воды из раствора с простейшими. И прав-

Зачем нужны мужчины?

да, на первый взгляд схожесть разительна. Самым революционным в открытии Левенгука было то, что он первым установил связь яичек с выработкой спермы, содержащей сперматозоиды.

Сегодня о сперме мы знаем, кажется, все. В первую очередь, что она вырабатывается совместно яичками, приуретральными железами и простатой. Под влиянием сексуального возбуждения, сокращения яичек и семенников семя перемещается к луковице мочеиспускательного канала, а далее в результате сокращений простаты, сфинктера уретры и губчатого тела сперма (семя, смешанное с другими жидкостями) под давлением извергается наружу.

Объем спермы при единичном семяизвержении (эякулят) — от 2 до 6 миллилитров. Сперматозоиды (количество их доходит иногда до 712 миллионов) составляют всего 0,5% массы эякулята. Остальное — сейчас во мне заговорил химик —

это лейкоциты, фруктоза, электролиты, лимонная кислота, ферменты, простагландины, углеводы, аминокислоты, холестерин, мочевина, цинк, известь, магний и — по большей части — обыкновенная вода. В сперме содержатся следы допамина, норадреналина, а также такие гормоны, как окситоцин и вазопрессин.

А вот вам горсть интересной информации, которую не так легко отыскать. Порция эякулята по калорийности не превышает пяти килокалорий и не вызывает кариеса зубов. Сразу после семяизвержения сперма имеет желеобразную консистенцию, а по прошествии некоторого времени, в результате воздействия ферментов куперовой железы, подвергается разжижению. Сперма имеет щелочную реакцию и в принципе безвкусна. Некоторые ферменты, получаемые мужчиной с пищей, способны изменить вкус спермы. К примеру, ферменты, содержащиеся в ананасах (но только в свежих, не консервированных!), могут сделать ее сладковатой. Противоположное действие оказывает злоупотребление табаком и кофеином: сперма завзятых курильщиков кисловатая с горьким привкусом. У вегетарианцев (но только у тех, кто избегает блюд с чесноком или/и с луком) сперма на вкус более сладкая, нежели у мужчин, употребляющих мясо. Нет ничего удивительного в том, что вкус спермы тесно связан с ее качеством.

Большинство банков спермы в мире (первые такие институции возникли в 1965 году в США и Японии), заинтересованных в сперме «высшего качества», не принимают на хранение семенную жидкость мужчин, зависимых от никотина, алкоголя, марихуаны или гашиша. Среди четырехсот готовых сдавать сперму мужчин в среднем только один-два доходят до этапа, когда становятся донорами. Их сперма, плотно закрытая в специальных мензурках, изготовленных из пуленепробиваемого стекла, хранится в колбах из стали высшей пробы, наполненных жидким азотом, охлажденным до температуры минус 127°C.

Мужчина во время копуляции отдает свою сперму по эволюционно обоснованной схеме. Исследования на эту тему описаны в любопытной книге «Войны сперматозоидов. Неверность, конфликт полов и другие постельные баталии» (польский перевод вышел в 2001 году), автор которой зоолог, преподаватель университета в Манчестере Робин Бейкер. Коротко говоря, количество и состав спермы зависит от того, когда мужчина занимался сексом с данной женщиной. В периоды регулярных и частых сношений среднестатистический мужчина за одно семяизвержение высвобождает около 389 миллионов сперматозоидов. Если же в половых сношениях наступает перерыв дольше, чем в несколько дней,

Зачем нужны мужчины?

количество «живчиков» в эякуляте может возрасти до 712 миллионов.

Эту семенную жидкость, помимо сперматозоидов, единственной целью которых является оплодотворение яйцеклетки, заполняют батальоны «живчиков», занимающихся устранением семени потенциальных конкурентов. Столь разумный механизм служит для сведения к минимуму шансов на оплодотворение соперником, который мог бы появиться в отсутствие основного партнера. Об этом прекрасно знают владельцы всех существующих на свете банков спермы. В их правилах четко записано: «Чтобы семенная жидкость содержала как можно больше сперматозоидов, донор обязан воздерживаться от половых сношений или мастурбации в течение как минимум трех дней перед сдачей спермы».

К сперме, хотя для нас она уже не составляет никакой тайны, все еще продолжают относиться как к чему-то магическому. Мужчины, независимо от их происхождения и культуры, в которой они воспитаны, испытывают к своей сперме большее почтение, чем даже, например, к своей крови. Упомянутые уже на этих страницах сексологи Уильям Мастерс и Вирджиния Джонсон, которые в течение двенадцати лет пронаблюдали и зафиксировали свыше 12 000 оргазмов (сперва в среде проституток, а затем сотрудничая с семьюстами парами добровольцев), отметили у мужчин после эякуляции своего рода меланхолию, которую — после интервью с этими мужчинами — связали с так называемым явлением «прощания со своей спермой». Подобный феномен фиксировал также Альфред Кинси, известный своими отчетами об исследованиях, шокировавшими Америку в 40—50-е годы XX века. Вполне возможно, что мужчины подсознательно верят в то, о чем говорят философии и религии Востока (в особенности индуистская): сперма — это драгоценная энергия жизни. Каждое семяизвержение — утрата столь драгоценной энергии и приближение на один шаг к смерти. Даже если это доставляет мужчинам необыкновенное наслаждение, от которого они не в силах отказаться...

Перевод И. Подчищаевой

Czy światu potrzebni są jeszcze mężczyźni?

А нужны ли **5** еще миру мужчины?

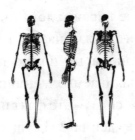

Мужчины — странные существа. Боятся стоматолога, облысения и того, что их мобильный телефон окажется вне зоны доступа. Меньше всего их пугает то, что они находятся в состоянии деградации, способной привести к их полному исчезновению.

Казалось бы, человечество, более или менее удобно расположившееся на двух полюсах разнополости, уже давно распределило роли. Немного, правда, несправедливо: мужчины первыми получили право голоса и заняли самые выгодные позиции. Хотя, между прочим, «мало что могут сказать». Четыре тысячи слов, которые в течение дня произносит мужчина, не идут ни в какое сравнение с тридцатью пятью тысячами слов, ежедневно выпаливаемых женщинами. Воспетая в веках мужская сила — это факт или только следствие «силы убеждения»? И существуют ли вообще научные доказательства того, что «слабый пол» в действительности сильнее?

Стив Джонс, преподаватель генетики, в книге «О происхождении мужчины» представил образ мужчины настолько шокирующим, что, если бы феминистское движение имело свой мужской аналог, «сильный пол» после прочтения этой книги, наверное, полез бы на баррикады. Честно говоря, я и сам в предыдущих главах обосновал

большинство поступков человека его стремлением к произведению потомства, но Джонс продви-
нулся еще дальше — и даже, на мой взгляд, слишком уж далеко. Он считает, что мужчины — это
не что иное, как безвольные жертвы полового
влечения, паразитирующие на самках, стремящи-
еся единственно к видовому выживанию. Джонс
также убежден, что мужчинам грозит вымирание.
И виной всему Y-хромосома.

Y-хромосома, если присмотреться к ней под
микроскопом, выглядит как скрюченный уродец
рядом с элегантной и огромной женской X-хро-
мосомой с четко выраженной соблазнительной
талией. X-хромосома твердо и уверенно стоит на
двух ногах, в то время как Y — только на одной,
вдобавок весьма шаткой. Y-хромосома — «генетическая свалка». Со сменой поколений гены
подвергаются мутациям, и в генотип закрадыва-
ются ошибки. Оказывается, что из всего набора

хромосом именно Y-хромосома накопила больше всего вредных мутаций. В Y-хромосоме только один ген ответственен за пол ребенка. Он называется SRY (*Sex Determining Region of Y*) — в переводе с английского: определяющий пол участок Y-хромосомы — и активизируется на седьмой неделе жизни плода. Именно SRY определяет пол эмбриона. В клеточном ядре будущего мужчины вместо второй X-хромосомы (у женщин две X-хромосомы) — укороченная Y-хромосома. Хромосома-карлик составляет всего лишь 1/50 всего генома, ей не хватает силы и сопротивляемости, она также утратила способность к регенерации да к тому же еще постоянно уменьшается. Сегодня ее величина составляет лишь около 1/3 величины той хромосомы, какой она была триста миллионов лет назад. Из чего следует неутешительный вывод: то, что для мужчин является самым важным, а именно — сохранение вида,

132

оборачивается против них: в ходе эволюции самцы обречены на вымирание. Профессор Брайан Стайкс из Оксфорда, занимаясь исследованиями ДНК в генетическом материале, взятом с доисторических скелетов, считает, что это произойдет в относительно близком будущем — через каких-то пять тысяч поколений, то есть примерно через 125 тысяч лет.

Но вырождение мужчин связано не только с уменьшением Y-хромосомы. И генетики, и социологи, и психологи подтверждают, что мужчины находятся в состоянии беспрерывной деградации и на грани полного исчезновения. Они чаще болеют, хуже обучаемы, у них большие проблемы с пониманием так называемой нравственности. Среднестатистический мужчина живет на восемь лет меньше женщины (средняя продолжительность жизни польки — 79 лет, тогда как поляка — 71 год). В Польше среди лиц, которым исполни-

лось 65 лет, на 100 мужчин приходится 160 женщин. Мужчины в три раза чаще страдают от сер-
дечно-сосудистых заболеваний и получают ин-
фаркт (от этого умирает в среднем ежегодно 9356
женщин и 16420 мужчин), потому что, в отличие
от женщин, не обладают эстрогенной защитой,
которая оберегает женские сердца благодаря
повышенному высвобождению окиси азота, от-
ветственной за расширение кровеносных сосудов. Мужчинам очень нужна эта окись, особенно в моменты возникновения сексуального
желания. К тому же сексуальное желание, которому они так легко поддаются, реализуется у
них — по сравнению с женщинами — до смешного редко и до смешного непродолжительно.
Среднестатистический и очень молодой мужчина может достичь максимум шести оргазмов в
течение часа, рекордное же количество оргазмов
у женщины (совсем даже не молодой) за тот же

час доходит до 134. Вдобавок в среднем мужской оргазм длится не дольше 6 секунд, тогда как у женщины — 23 секунды.

И наконец, мужчины не способны даже рассказать о столь важном для них желании. Вместо слов они используют вещи (которые в состоянии приобрести благодаря более высоким доходам). Не случайно драгоценности, цветы и конфеты служат в их понимании выражением чувств. Иногда к подаркам следует приложить открытку. И это тоже вроде бы не проблема. Проблемы начинаются, когда на открытке надо хоть что-нибудь написать. Мужчины не только менее речисты и коммуникабельны, но также в три раза чаще имеют дефекты дикции и составляют почти 75% всех заикающихся людей на свете.

Во время удовлетворения сексуального желания они также не способны говорить (хотя женщины жаждут слов). Средний мужчина, как правило, не может делать два дела одновременно. К примеру, эрекция настолько его поглощает, что он становится в это время почти глухим. Женщины же, в свою очередь, даже в состоянии наибольшего сексуального возбуждения не теряют слуха и хотят именно в такой момент услышать важные для себя слова или просто голос партнера. Историки человеческой эволюции объясняют это доисторической ролью женщин как единственных защитниц стаи. Женщина — поскольку мужчина ей был в этом не помощник, — даже переживая оргазм, в силу необходимости была вынуждена воспринимать кучу разных информационных сигналов из окружающего мира. И благодаря этому могла, например, услышать крадущиеся шаги приближающегося опасного зверя или плач ребенка.

У мужчин порой возникает желание овладеть женщиной таким способом, о котором совсем не

Зачем нужны мужчины?

хочется публично говорить (потому что стыдно!).
Из списка 213 сексуальных девиаций (даже сегодня, в XXI веке, для многих все еще существует
понятие девиации!), зарегистрированных сексо-
логами во всем мире, большинство отмечены у
мужчин. По мнению занимающегося этой проблемой польского сексолога Анджея Депко, это
происходит по причинам (био)химическим,
свойственным мужской природе. Природные
особенности мужчин и женщин сильно различа-
ются, и само сексуальное влечение реализуется у
них по-разному.

Главная побуждающая сила сексуального влечения у обоих полов — тестостерон, но у мужчин
его больше. Возьмем, к примеру, эксгибиционизм
(поскольку не существует статистики по эксги-
биционистам, их количество можно определить
лишь на основе информации от людей, которые
с ними реально сталкивались; по утверждению

сексолога Збигнева Лев-Старовича, в Польше около 13% женщин повстречали на своем пути эксгибициониста): он присущ исключительно мужчинам. Эксгибиционист — мужчина, который публично обнажается в присутствии посторонних людей, не дававших на то добровольного согласия, либо онанирующий у них на глазах. И что важно, для него это единственный способ получить сексуальное удовлетворение, нормальное совокупление не позволяет ему достичь такового. Эксгибиционист получает удовлетворение главным образом от вида шокированной его поведением женщины. Чем больше к этой реакции примешивается страха, возмущения, потрясения и паники, тем больше возбуждение обнаженного.

У женщин примеры зарегистрированного медициной эксгибиционизма почти всегда связаны с серьезными психическими нарушениями. По-

добное суждение ученых, в свою очередь, крайне
несправедливо по отношению к мужчинам. Когда обнажается женщина, танцуя у шеста, общество это принимает и относится спокойно. Вместе с тем, по мнению некоторых ученых, наблюдающие за ней мужчины оцениваются как «подглядыватели», а сама женщина, по убеждению ярых феминисток, является «жертвой» мужского вуайеризма (очередная девиация из списка «213»), который есть — цитирую по статье Уголовного кодекса — «...получение сексуального удовлетворения путем подглядывания за незнакомыми лицами в момент их обнажения либо совершения интимных действий». Похоже на то, что женщинам просто легче реализовывать такого рода потребности. Легче, а кроме того, явно безопасней. Эксгибиционистов ждет наказание, предусмотренное Кодексом правонарушений (в польском уголовном праве), где говорится:

«...лицо, публично допустившее непозволительные действия (ст. 140), поведшие к нарушению общественного порядка (ст. 51), подлежит наказанию в виде ареста, ограничения свободы, штрафа вплоть до 1500 злотых либо общественному порицанию».

В свою очередь мужчины, которым пока что не грозит наказание в виде ареста, несмотря на их абсолютно неизбежную обнаженность (у 12% младенцев мужского пола пенис при родах находится в состоянии эрекции), обречены уже в момент своего рождения: мальчики гораздо менее живучи, чем девочки. В первый год жизни на 100 смертей девочек, например, приходится 120 смертей мальчиков. Молодым мужчинам тоже не легче. Количество смертей из-за инфаркта сердца в этой группе в семь раз больше, чем у женщин.

Мужчины, к сожалению, составляют подавляющее большинство среди преступников. И это не только какие-то там мелкие воришки. По данным американского биолога и антрополога, доктора Майкла П. Гиглиери, автора весьма грустной книги «Темная сторона человека: о происхождении мужской агрессии» (польский перевод появился в 2001 г.), во всех исследованных до настоящего времени культурах мужчины — виновники свыше 85% убийств. Причиной тому — их агрессивность и брутальность. А объяснить это можно уровнем концентрации тестостерона — гормона, управляющего не только сексуальным поведением самцов (всех приматов, в том числе и человека), но также и их агрессивностью.

Яркое проявление агрессивности можно наблюдать у пятнистых гиен. Уровень тестостерона у гиен обоего пола одинаково высок. Кстати, в случае с гиенами даже трудно говорить о половых различиях: во время течки клитор у самок гиен имеет форму и размер полового члена. Самки пятнистой гиены с первого дня жизни исключительно агрессивны, настолько, что самые сильные в помете обычно загрызают своих братьев или сестер в борьбе за место у сосцов матери. Ничего удивительного, что люди часто с отвращением называют «гиенами» тех, кто проявляет безграничную агрессию в борьбе за удовлетворение собственных потребностей.

С биологической точки зрения поведение гиены — пример выработанного в процессе эволюции инстинкта самосохранения и продолжения рода. Агрессия у гиен врожденная и подстегивается инстинктом, «усугубляемым» высокой концентрацией тестостерона.

Существует, однако, два вида приматов, еще более опасных, нежели всеми презираемые гиены, агрессия которых становится умышленным поведением. По мнению уже упомянутого мною американского психолога-эволюциониста профессора Дэвида М. Басса, среди примерно миллиона видов живущих на земле существ, включая четыре тысячи видов млекопитающих, только у двух наблюдается инициируемая самцом территориальная агрессия, в рамках которой он обдуманно заключает союзы, совершает запланированные набеги на соседние территории, а также способен к массовому — не мотивированному голодом или стремлением к безопасности — убийству представителей своего вида.

Это шимпанзе и люди.

Но вернемся к мужским слабостям. Мужчины в три раза чаще попадают в зависимость от никотина, алкоголя (среднестатистический поляк выпивает в пять раз больше чистого спирта, чем среднестатистическая полька) и наркотиков, а 70% самоубийц — представители сильного пола. К примеру, по данным за 2002 год в Польше за этот год покончили жизнь самоубийством 4215 мужчин и «только» 885 женщин.

Причиной такого положения вещей, помимо нехватки «заботливых» эстрогенов, может быть самый мужской из всех мужских гормонов — не единожды помянутый мною тестостерон. Его повышенное содержание обуславливает не только облысение, но также создает биологические условия для агрессивного поведения. Из истории нам известно, что евнухи были долгожителями. Мужчины, лишившиеся яичек, живут на тринадцать лет дольше, а лишившиеся их в очень молодом возрасте — даже на все тридцать! Многолетние наблюдения за мужчинами, у которых был диагностирован генетический дефект, называемый синдромом Клинефелтера, заключающийся в том, что каждая клетка, помимо Y-хромосомы, имела дополнительную (женскую) X-хромосому, показали, что такие мужчины живут гораздо

Зачем нужны мужчины?

дольше, поскольку иммунная система у них типично женская. При слабой иммунной системе трудно бороться со свободными радикалами, повышающими риск раковых заболеваний, и противостоять другим болезням. Вдобавок ко всему образ жизни, который ведут большинство мужчин, прямо скажем, далек от здорового.

Коль скоро — на что явно указывают наблюдения — природа так старательно и последовательно стремится к устранению мужской части человеческой популяции, есть ли у нас как вида шансы на выживание? Неужели же единственной трудностью для женщин было бы размножение (о приятных моментах не говорим)? А клонирование и непорочное зачатие? Что это — только фантазии или же естественное продолжение эволюции? Неужели сегодня, когда стало возможно выращивать сперматозоиды в теле животных (за последнее время огромного успеха в этой области достигли ученые Гарварда, которым удалось вырастить сперматозоиды в яичках хряка), мужчина становится лишним — хоть, без сомнения, и заслуженным, но... отбросом эволюции?

Перевод И. Подчищаевой

Dlaczego mężczyźni mają erekcję?

Zachem

6

мужчинам эрекция?

Исчерпывающего ответа на этот вопрос не знает пока никто. Большинство биологов, занимающихся историей эволюции, утверждают, что эрекция у мужчин — такое же излишество, как и его пенис. Многие мужчины, которым до лампочки вся эта наука, то бишь история эволюции, считают, что подобные утверждения — не что иное, как обычная провокация импотентов. А потому мужчины только и делают, что думают о своей эрекции, и относятся к ней с тро-

гательной заботой. И всегда могут рассчитывать на «помощь». На эрекции можно заработать миллиарды...

Некоторые из «провокаторов» пошли еще дальше, задаваясь вопросом на страницах серьезных научных изданий: «А вообще-то зачем нужен секс?» В семидесятые годы XX столетия вопрос этот сформулировал знаменитый британский биолог Джон Мэйнард Смит в книге «Эволюция секса», где математическим методом доказал истинность своего утверждения об «удвоенных расходах на секс». Из арифметических вычислений Смита следует, что рост колоний асексуальных организмов в каждом поколении минимум в два раза больше, чем сексуальных. Короче говоря: если бы женщины и мужчины могли рождать детей (без необходимости обмена генами в половом акте), со временем человеческая популяция как биологический вид стала бы несравненно многочисленнее.

Из чисто математических соображений (Смита!) следует, что секс вообще невыгоден для эволюции. Бесполые, саморазмножающиеся существа были бы (на первый взгляд!) наилучшим решением вопроса. По мнению ближайших сотрудников Смита, его утверждения с самого начала были целенаправленной провокацией. Смит был слишком хорошим генетиком, чтобы игнорировать тот факт, что именно благодаря смешиванию генов могут возникать мутации. И только благодаря мутациям может осуществляться прогресс в процессе приспособления, а тем самым обеспечиваться выживание видов. Эволюция сама нам открыла, и притом очень давно, что целибат в данном случае стал бы наихудшим выходом: 99,9% всех особей размножаются благодаря наличию разнополости. Самки принимают — самыми разными способами и в самом разном виде — генетический материал самцов. Так делали на протяжении вот уже 1,5 миллиарда лет разные растения и большинство живых существ, и так делают по сегодняшний день люди. Непорочное зачатие почти не привилось в природе, и, как сказал английский писатель Олдос Леонард Хаксли[5], «целомудрие — самое неестественное из всех сексуальных извращений».

Однако все это не объясняет существования копуляции, пениса, а тем более его эрекции. Почти все виды рыб выпускают в море свою икру, которую потом спермой оплодотворяет самец. Самцы скорпионов выкладывают сперму прямо

---

[5] О. Л. Хаксли (1894—1963) — английский писатель, внук естествоиспытателя Томаса Хаксли и брат биолога Дж. Хаксли. Учился в Итон-колледже Оксфордского университета, но в науку не пошел, стал литератором. Самый известный роман О. Хаксли — «О дивный новый мир».

на поверхности земли. И только потом самка, продвигаясь над ней, засасывает семенную жидкость в себя. А вот самец осьминога — специально для этого созданным природой «плечом», так называемым *hektokotilus* (гектокотиль) — добывает сперматофоры из своей мантии и помещает в мантийную ямку самки. И подчас так агрессивно, что это дополнительное щупальце отрывается и остается в теле его избранницы, с которым она и отплывает.

И только у млекопитающих появился другой способ: самцу необходимо было доставить своих «живчиков» как можно ближе к яйцеклеткам, которые нашли самое безопасное местечко в матке самки. Так и возникла идея пениса и его эрекции. Работе над пенисом, однако, Природе или главному Программисту пришлось посвятить очень много времени. Профессор Джаред Даймонд, биолог лос-анджелесского университета, считает, что мужской пенис — своего рода извращение. По его мнению, он слишком велик. У большинства приматов пенисы — в соответствии с пропорциями их тел — куда меньше. Пенис же самца *homo sapiens* не только самый длинный, но и самый толстый по сравнению с таким же органом у 192 видов бесхвостых обезьян (о хвостатых с их микроскопическими пенисами речь вообще не идет). Мужской пенис со средней длиной 13 см в состоянии полной эрекции (по данным незаменимого в таких случаях DUREX'а) кажется просто огромным. У орангутанов он едва достигает одной трети этой длины, а у огромных горилл — всего лишь одной четвертой. До сих пор не существует более или менее однозначного объяснения этого феномена. Некоторые эксперты считают, что длинный фаллос у наших расхаживавших голыми пещерных предков должен был понравиться женщине и отпугнуть возможных соперников, другие же полагают, что только благодаря длинному пенису мужчина мог наверняка удалить из вагины женщины сперму предшественника и как можно глубже поместить свою. Антропологические исследования, проведенные в репрезентативных группах женщин с разных континентов, свидетельствуют в пользу второй версии. У японок, кореянок или таек родовые пути намного короче, нежели у европейских или североамериканских женщин. Длина пенисов у мужчин из перечисленных стран — также соответственно меньше. Некоторые, совершенно не сведущие в антропологии, владельцы туристических фирм были бы немало удивлены, если бы узнали, насколько сильно эволюция влияет на интерес мужчин к поездкам в Таиланд...

Ученые едины во мнении, что половое влечение, определяемое как желание сексуального контакта, не является специфически присущим только *homo sapiens*. Сексуальное желание испытывают бабочки, тараканы, лебеди, хомяки, тюлени, крысы, дельфины, гориллы и шимпанзе. В их мозгу обнаружены идентичные человеческим химические вещества, которые его вызывают. Не удалось, правда, научно подтвердить, занимаются ли сексом данные виды животных лишь с целью произведения потомства или также ради удовольствия. В отношении людей тут нет никаких сомнений. Правда, только мужчина-самец, в отличие от самцов обезьян, умеет мысленно представлять эротические ситуации, доводящие его до состояния, когда у него — подчас без всякого физического импульса — может наступить эякуляция. Секс всегда был и остается одним из важнейших и любимейших удовольствий в жизни (наряду с едой). Наслаждение, получаемое от секса с женщиной, тысячелетиями описывалось в литературе, отражено в картинах живописцев, выражено в музыке, вырезано в камне, глине и граните, зафиксировано на фото- и видеопленке. Из ответов, полученных на необычную и внушающую страх анкету, распространенную английской газетой «The Guardian», следует, что свыше 37% мужчин предпочли бы в течение года умереть от рака или инфаркта, нежели сохранить здоровье, но провести остаток жизни без секса. Мужчины и женщины во всем мире хотят заниматься сексом. Мужчины — якобы гораздо чаще, чем женщины. И поэтому они очень интересуются своей эрекцией...

Однако, к сожалению, ни сиалис (в обиходе прозванный «уикендиком», поскольку действует около 36 часов), ни левитра, ни виагра не задержат надолго кровь в пещеристом теле пениса, если у мужчины не возникнет желания. Пока в аптеках нет лекарств для возвращения утраченного либидо...

По сути дела эрекция — довольно простой физиологический процесс. Под воздействием сексуального раздражителя (чаще всего зрительного) нейроны в мозге мужчины начинают интенсивно вырабатывать окись азота, которая потоком крови доставляется к пещеристому телу полового члена. Повышенная концентрация окиси азота приводит к образованию в крови циклического гуанозинмонофосфата (цГМФ), который, не разрушаясь ферментом ФДЭ-5, снижает давление в стенках кровеносных сосудов пещеристого тела. Сосуды с пониженным давлением автоматически увеличиваются в сечении, что позволяет повысить приток крови к пенису. Наполняющая пещеристое тело кровь способствует увеличению объема и длины полового органа.

Эрекция, однако, не может длиться вечно. Природа об этом тоже позаботилась. Спустя какое-то время в крови появляется ФДЭ-5, который разлагает цГМФ. Когда система цГМФ — ФДЭ-5 дает сбои, весь процесс накапливания крови нарушается. Кровь хотя и притекает к пенису в большем количестве, спустя очень короткое время (нехватка цГМФ и слишком много ФДЭ-5) быстро оттекает. А мужчинам (как и женщинам) просто необходимо, чтобы она оставалась там как можно дольше. Когда этого не происходит, мужчины сильно огорчаются, а женщины испытывают разочарование...

С возрастом — что, к сожалению, естественно — либо в результате различного рода заболеваний (например, диабета) уровень цГМФ в крови мужчин падает. Мужчины, разумеется, не желают с этим мириться. Фармакологи решили им помочь. Так в 1998 году была открыта (заметьте, благодаря случаю, искали-то лекарство против заболевания коронарных сосудов сердца) виагра.

Однако мало кто знает, что пятнадцатью годами ранее было применено средство, значительно более эффективное, чем виагра. В 1983 году английский профессор Жиль Бриндли во время лекции на международном урологическом конгрессе в Лас-Вегасе вдруг подошел к трибуне, спустил штаны и в ярком свете софитов продемонстрировал коллегам (в их числе были и женщины!) напряженный половой член. Потом прошелся по аудитории и всем любопытствующим позволил его потрогать. Затем он объяснил, что незадолго перед лекцией ввел себе с помощью шприца с очень тонкой иглой прямо в пещеристое тело полового члена раствор препарата, действующего идентично цГМФ.

Методика Бриндли, хоть и стала не только научной, но и пикантной светской сенсацией, не привилась. И не потому, что мужчин испугал бы укол даже тончайшей из игл в это место. После самых тщательных клинических исследований оказалось, что препарат Бриндли (папаверин) чересчур часто вызывает приапизм, то есть непрекращающуюся, нежелательную (звучит парадоксально), болезненную и опасную для здоровья (мужчин!) эрекцию, в худших случаях требующую безжалостного вмешательства хирурга: тот должен сделать скальпелем надрез на половом члене, дабы спустить кровь. В менее опасных случаях врач обычно откачивает из пещеристого тела кровь и делает укол адреналина, который способствует сужению кровеносных сосудов, что приводит к исчезновению эрекции.

Несмотря на вышесказанное, многие мужчины должны быть благодарны доктору Бриндли. Его шокирующая прогулка по лас-вегасской аудитории со спущенными штанами (но с безукоризненно завязанным галстуком), с инъекцией папаверина в половом члене привела к тому, что урологи всего мира, забросив скучнейшую возню с камнями в почках, воспалением мочевого пузыря и увеличенной простатой, кинулись искать средство для поддержания эрекции.

Спустя тринадцать лет, в 1996 году, сорокалетний биолог из европейского филиала американской фармацевтической фирмы «Пфайзер» Николас Террет опубликовал статью, в которой заявил, что его исследовательский коллектив (работающий в английском городе Сэндвич, таким образом виагра — открытие европейцев!) синтезировал вещество под названием *sildenafil citrate,* которое способно понижать уровень ФДЭ-5 в крови, позволяя таким образом дольше действовать цГМФ. В аптеках эта небесно-голубая таблетка в характерной форме алмаза называется проще: виагра. Николас Террет, с которым я имел удовольствие встретиться в Лондоне в ноябре 1999 года, объяснил мне, откуда взялось это запатентованное название. Оно образовано из двух частей: латинского *vigor* (что означает сила, мощь) и слова Ниагара. И неслучайно также ассоциируется со словом *vyaghra*, которое в переводе с санскрита означает «тигр».

До того как Террет опубликовал статью, фирма «Пфайзер» вложила в исследования *sildenafil citrate* более 500 миллионов долларов. Это стало, как признается руководство «Пфайзер», самым лучшим на сегодня вложением денег за всю историю существования фирмы. В течение двух лет с момента регистрации препарата (март 1998 г.) фирма заработала на виагре свыше 2 миллиардов долларов. Мужчины, как нетрудно предположить, не экономят на эрекции. Некоторым, пользующимся виагрой как витамином V, ко всему прочему кажется, что она служит афродизиаком, хотя на этот счет нет никаких клинических доказательств. Усиление либидо после употребления виагры так же невелико, как после применения плацебо (от лат. *placere* — быть удовлетворенным), то есть таблетки без вкуса, содержащей обыкновенную муку. Следует все же напомнить, что лекарственные средства, способствующие восстановлению эрекции (вскоре вслед за виагрой в аптеках появились действующие подобным образом сиалис, левитра и в последнее время максигра — польский аналог виагры), воздействуют только на мужчин, не утративших полового влечения. Ни сиалис, ни левитра, ни виагра, ни максигра не задерживают кровь в пещеристом теле полового члена мужчины, если он не обуреваем желанием. Пока что самым лучшим афродизиаком остается любовь. К счастью...

Перевод И. Подчищаевой

Czy kobiety są lepsze do mężczyzn?

10
20
30
40
50
60
80

7

Правда ли,
что женщины лучше мужчин?

Невозможно представить, чтобы мужчина, оказавшись на месте женщины, выдержал бы десятикилометровый марш-бросок с полной выкладкой во время месячных и не свалился с ног. Кое-кто упал бы в обморок просто при виде крови. Я почти уверен, что если бы у мужчин были свои «дни», то наверняка их сделали бы нерабочими. Сразу появился бы соответствующий закон или того пуще — декрет правительства.

Поскольку отрыжка биохимического детерминизма (придуманного мужчинами к своей собственной выгоде), относящего женщину к второразрядным представителям *homo sapiens*, постоянно дает о себе знать, стоит присмотреться к аргументам, которые приводят сторонники этой ложной теории.

В последнее время стало особенно модно ссылаться на особенности женского мозга. Когда оказалось, что размер мозга не может считаться аргументом — у женщин мозг и в самом деле меньше, но плотность серого вещества, ответственного за мышление (относительно белого вещества на 100 г мозга), у них почти на 18 процентов выше, чем у мужчин, — сторонники биохимического детерминизма решили переключиться на нечто туманное и не поддающееся измерению. Психолог Саймон Барон-Коэн из Кембриджского университета, прибегнув к

Зачем нужны мужчины?

огульному обобщению, тут же подхваченному средствами массовой информации, заключил, что у мужчин мозг «систематизирующий», а у женщин «эмпатический». Якобы благодаря этому мужчины обладают охотничьими способностями, легко, вследствие врожденной агрессивности, завоевывают и удерживают власть, накапливают знания и вообще просто созданы для руководящей роли. А женщины, в соответствии со своей «эмпатической» природой, созданы для дружбы, материнства, сплетен (sic!) и заботы о других людях, в особенности о своем избраннике и рожденных от него детях.

Если внимательно читать книгу Барона-Коэна («Существенное различие»[6], Нью-Йорк, 2003), можно заметить, что вся его теория осно-

---

[6] Simon Baron-Cohen. «The Essential Difference: Male and Female Brains and the Truth About Autism».

вана на одном-единственном эксперименте с новорожденными: девочки якобы дольше задерживали взгляд на лицах людей, а мальчики внимательно следили за движущимися предметами. Делать далеко идущие выводы о строении мозга женщин после одного, и то сомнительного, эксперимента — смешно и глупо, а определять их жизненное предназначение на таком псевдонаучном основании — значит явно передергивать.

По-моему, доктор Саймон Барон-Коэн неудачно пошутил на профессиональную тему или же его в данном конкретном случае просто занесло, а средства массовой информации — главным образом бульварная пресса — совершенно не поняли юмора и охотно превратили шутку в «научный» факт. Еще бы: ведь это интересная тема, да еще «научно обоснованная» (пусть на этот раз и не в американском университете, но в не менее любимом журналистами Кембридже), — интере-

Зачем нужны мужчины?

сующая всех «мачо», которым всегда приятно обнаружить женщин на полке с уцененными товарами, и только там. Наверняка Барон-Коэн совсем не этого хотел. Он — выдающийся ученый, работающий в области нейробиологии эмоций, известный во всем мире специалист по изучению и лечению аутизма.

Стоит также заметить, что сплетня и злословие не имеют пола. Социолог из Хельсинки Илпо Коскинен исследовал общественные механизмы возникновения сплетен. Из его научного труда, написанного на такую, казалось бы, ненаучную тему, следует, что мужчины сплетничают не меньше женщин. Только они это называют «обменом доверительной информацией, поддержанием контактов с нужными людьми, лоббированием или политикой». К похожим выводам пришли антропологи из Калифорнийского университета в Санта-Барбаре (2005). Мужчины и женщины одинаково любят сплетничать, но по-разному воспринимают сплетни. Женщины, в отличие от мужчин, панически боятся разрушительной силы оговора. Это связано с той ролью, которая отводится женщинам в обществе. Женское насилие и агрессия в большинстве культур осуждаются. Поэтому женщины чаще мужчин прибегают к слову как оружию в борьбе с врагами.

Распространение подобной псевдонаучной чепухи, якобы являющейся результатом научных исследований, имеет свою долгую историю. Еще в 1861 году французский невропатолог Поль Брока «авторитетно» заявил в одной публикации: «Уровень интеллекта у женщин в среднем несколько ниже, чем у мужчин, — это различие не стоит преувеличивать, однако оно, несомненно, существует». Свой вывод автор сделал на основании взвешивания мозга ста с лишним умерших в парижских больницах мужчин и женщин. «Ве-

Зачем нужны мужчины?

совщик» Брока не учел, что женщины вообще имеют меньшую массу тела и, следовательно, их мозг тоже должен весить меньше.

Это, однако, не помешало Брока прочно войти в историю (и энциклопедии): один из участков мозга, находящийся поверх лобной извилины, так называемая новая кора (*neocortex*) — эволюционно самая молодая структура, — названа в его честь (центр Брока). Там находится речевой центр (вот тут женщины — со своими легковесными мозгами — дадут фору мужчинам!).

Центр восприятия речи (или слуховой центр) помещается в центре Вернике, тоже в новой коре. А поскольку мы говорим о строении мозга, нельзя не упомянуть установленный в 1982 году факт: нервное сплетение между обоими полушариями (так называемая большая спайка, или, иначе, мозолистое тело) у женщин толще и имеет характерный прогиб кзади. А у мужчин оно ровное, в форме цилиндра. Строение мозолистого тела у женщин обеспечивает лучшую, более эффективную связь двух полушарий и, тем самым, различных структур мозга. Соответственно, женщины усваивают одновременно больше битов информации — визуальной, вкусовой, обонятельной, тактильной, звуковой — в единицу времени.

Мозг женщин, по не выясненным пока до конца причинам, реже страдает различными патологиями и неврологическими нарушениями. Взять, к примеру, аутизм. Эта болезнь встречается у мальчиков в десять раз чаще, чем у девочек. Поэтому многие психиатры считают, что аутизм — не особая патология, а крайнее проявление тенденций развития мужского мозга.

У женщины не только эффективнее осуществляется связь между полушариями мозга, но и левое полушарие более развито, чем у мужчин. Поскольку именно в левом полушарии человека

174

располагается центр речи, стоит ли удивляться, что женщины по природе более говорливы (что я считаю не недостатком, а достоинством: переговоры сглаживают любые конфликты). Патолого-анатомические исследования показывают, что в областях мозга, отвечающих за речь, нейронная сеть у женщин значительно гуще. В результате их речевые способности, выражаясь языком компьютерщиков, обслуживает более мощный процессор.

Следовательно, в ходе эволюции и приспособления природа наградила женщин лучшим речевым аппаратом. Голосовые связки у мужчин длиннее и толще, поэтому им нужно больше времени, чтобы начать издавать звуки. Между прочим, ни у женщин, ни у мужчин никаких связок в гортани нет (это просто образное, разговорное выражение). На самом деле у нас там две голосовые складки из лоскутов кожи, растянутых между четвертым и шестым позвонками на хрящевом остове, поверх которого находятся мышцы. При выдохе из-за давления воздуха складки раздвигаются, создавая звуковую волну, которая усиливается резонатором носоглотки длиной около семнадцати сантиметров.

Вот почему в любой ситуации женщины первыми успевают вставить слово. По тем же причинам девочки начинают говорить раньше, чем мальчики, их высказывания более связны и состоят из более длинных предложений. В итоге женщины говорят больше и с меньшими усилиями, чем мужчины. Может, поэтому и последнее слово остается за женщинами. Происхождение же самой речи *homo sapiens* (без которой развитие цивилизации не могло бы идти в таком темпе, как это происходит последние несколько тысячелетий) остается загадкой. Ученые пришли к общему мнению, что люди начали использовать

Зачем нужны мужчины?

речь для коммуникации около сорока тысяч лет назад, но в определении причин возникновения речи у них нет единодушия. Наибольшей популярностью пользуется теория Дорис и Дэвида Джонас — супругов, работающих в области социальной биологии. Они утверждают, что первобытный язык зародился исключительно благодаря женщинам — как средство для поддержания социальных связей между матерями и детьми. Матери начали отвечать на лепет своих младенцев, и так появились первые слова. Вначале было слово и исходило оно от женщины...

Женщины не только эффективнее и быстрее перерабатывают поступающие в их мозг биты информации, но и получают их в большем количестве! Еще в 1894 году британский естествоиспытатель (и писатель) сэр Фрэнсис Гальтон на основании исследований, проведенных среди представителей различных культур, определил, что женщины в среднем в десять раз более чувствительны к прикосновению, чем мужчины. Женщина явственнее ощущает чужое прикосновение и в то же время точнее регистрирует собственные впечатления от прикосновения к другому человеку. Женские ласки часто кажутся мужчинам излишне деликатными: женщина полагает, что любовник столь же чувствителен к тактильным контактам, как она сама. Вдобавок мужчины ожидают прикосновений конкретной направленности. Многих могут раздражать ласки, если они не сосредотачиваются довольно быстро в области промежности. Печально, но факт. Что в постели, что в магазине мужчины ведут себя одинаково: стремятся как можно скорее добраться до того, что им нужно...

С другой стороны, исследования Института Кинси (1988) показали, что многие женщины (которые были бы не прочь разнообразить свою интимную жизнь) отказываются от орального секса только потому, что мужчины слишком грубо и слишком сильно касаются языком клитора, что причиняет партнершам не столько удовольствие, сколько боль. Клитор, имеющий больше нервных окончаний, чем весь пенис (более 8 тысяч, как установила в 1998 году гинеколог из Австралии Хелен О'Коннел), чрезвычайно чувствителен. Многие женщины вообще не переносят прикосновений к нему, предпочитая косвенное воздействие. Есть тут и другая проблема: в соответствии с опросами, проведенными DUREX, примерно 23,5% мужчин в Польше никогда не доводилось слышать о том, что у женщин есть какой-то там клитор, а среди тех, кому доводилось, свыше 37% понятия не имеют, где он.

Маленькие девочки гораздо чаще, чем мальчики, дотрагиваются до матери, и взрослые женщины чаще мужчин прикасаются к незнакомым людям. Женщины прекрасно знают, почему они так делают. Прикосновение оказывает терапевтическое воздействие, стимулируя выработку в мозге гормона окситоцина. Окситоцин способствует расслаблению, успокоению, снижает кровяное давление и вызывает положительные изменения в метаболизме, уменьшая концентрацию кортизола — гормона стресса. Если в крови длительное время содержится слишком много кортизола, это повреждает иммунную систему. Люди, которых редко обнимают, чаще болеют и быстрее умирают. Известная рекламная фраза «Ты сегодня уже успела обнять своего ребенка?» — это не только броский слоган, но и серьезная, правильная и эффективная медицинская рекомендация.

Женское обоняние заметно тоньше мужского. Женщины различают гораздо больше запахов, причем намного точнее, чем мужчины. Кроме того, с возрастом чувствительность к запахам у женщин в отличие от мужчин почти не ослабевает. Установлено, что в вомероназальной системе[8] и мозге женщин существенно больше обонятельных рецепторов. На то есть эволюционные причины. В первобытную эпоху мать должна была иметь острейший нюх, чтобы учуять опасность, грозящую ее детям: запах чужого в темноте, запах дыма или испорченной пищи. Для современной матери к этому добавился (тоже главным образом потому, что она заботится о детях) запах духов других женщин, запах чужого пота — вообще любой чужой запах, исходящий от рубашки близкого человека.

Вопреки представлениям мужчин, лучше всего успокаивает женщин запах алкоголя. Многие

---

[8] Дополнительная обонятельная система, включающая, в частности, сошниково-носовой орган.

жены встречают вечером своих мужей поцелуем не без тайного умысла: хотят убедиться, что те после работы действительно ходили пить пиво с сослуживцами, а не к любовнице. Ричард Л. Доти, профессор университета штата Колорадо (США), автор увлекательной книги «Пол и поведение: статус и прогноз»[9], 1978) установил, что порог чувствительности к основным вкусовым ощущениям (сладкое, кислое, соленое, горькое) у женщин значительно ниже. Просто у них больше вкусовых рецепторов на языке, что помогало первобытным собирательницам избегать ядовитых (обычно горьких) или незрелых, менее питательных плодов (обычно кислых). Женщины живут в более богатом мире не только запахов, но и вкусовых ощущений.

---

[9] Richard L. Doty. «Sex and behavior: Status and prospectus».

Кроме того, женщины лучше слышат. Особенно это касается высоких звуков. Вряд ли мужчине помешает заснуть звук капающей из крана воды (может, поэтому в последнее время так возрос спрос на сантехников, причем не обязательно красивых). Даже когда он лежит в постели и к этому несчастному крану обращено его правое ухо. Последнее важно, поскольку оказалось, что мужчины улавливают отдельные звуки из общего шума только правым ухом (то есть воспринимают их левым полушарием мозга). А женщины в подавляющем большинстве слушают обоими ушами и регистрируют звуки обоими полушариями. Это тоже легко объяснимо с эволюционной точки зрения. Звуки воспринимаются корой головного мозга, отвечающей за эмоции. Они пробуждают воспоминания, вызывают тоску, экстаз и даже бешенство, дающее энергию для защиты потомства.

Женщины получают больше информации от своих органов чувств, а также быстрее и эффективнее ее перерабатывают, что позволяет им успешнее сопоставлять факты и делать выводы. Этим современные биологи объясняют феномен необыкновенной женской интуиции.

Утверждение, что мужчины по своей природе охотники и кормильцы семьи, тоже неверно. Оно не соответствовало действительности ни в начале неолита, ни теперь, когда нам на смену пришло поколение iPod[10]. Эволюционные палеонтологи (сами мужчины) доказали, что охотились все: и женщины, и мужчины, причем последние крайне редко или крайне неэффективно. Биохимический анализ останков, найденных при

---

[10] iPod — портативный плеер с множеством функций. Он позволяет слушать музыку, смотреть фильмы, делать снимки, его можно использовать для хранения информации и подсоединять к компьютеру.

Зачем нужны мужчины?

раскопках, показал, что свыше 78% калорий в питании первобытных племен были растительного происхождения. По большому счету кормили семью женщины, поскольку главным источником этих калорий было собранное в лесу. Стало быть, мужчины, если и охотились, то возвращались в пещеру с довольно скудной добычей.

Тем не менее увлечение охотой присуще мужчинам до сих пор. Этим объясняется, к примеру, их непонятная для многих женщин страсть выискивать цель и поражать ее (а также наблюдать, как это делают другие). Женщины не могут взять в толк, почему мужчинам так интересно следить за футбольным матчем. Почему им не надоедает часами кидать дротик в мишень «дартс» или стучать бильярдными шарами, — женщины воспринимают это как нелепое ребячество.

Czy mężcyźni są światu potrzebni?

Просто мужчины любят попадать в цель (сами!). Попасть в цель — значит выдержать своего рода испытание (эволюционно обоснованное) на мужественность. Наверное, поэтому мужчина будет упрямо сидеть над атласом автомобильных дорог, вместо того чтобы спросить кого-нибудь, как проехать. Женщины очень редко покупают такие карты. Циники утверждают, что единственной причиной, почему библейский Моисей так долго водил израильский народ по пустыне, была мужская гордыня, не позволившая ему спросить какую-нибудь женщину, в каком направлении следует идти...

Врожденная агрессивность мальчиков тоже оказалась мифом. Финский исследователь Кай Бьорквист показал, что во всех изученных им культурах (а их было 62) не наблюдалось различий в уровне агрессивности — и связанной с ней готовности вступить в борьбу — между мальчиками и девочками до трех лет. Большинство ученых придерживается точки зрения, что первоначально мозг у всех людей одинаковый — женского типа, и только под влиянием андрогенов, в частности тестостерона, мозг мужчин изменяется. Различия начинают проявляться только после трех лет. В пользу женщин. Меньшая агрессивность женщин связана с более низким уровнем тестостерона: нормальное содержание тестостерона у них — 20—70 нанограммов на 100 мл крови, тогда как у мужчин — 270—1100 нанограммов, то есть выше в десять с лишним раз, что парадоксальным образом помогает им играть роль сильного пола. Высокий уровень тестостерона оказывает на мужчин заметное и разностороннее влияние. Исследования показали, что мужчины с высокой концентрацией тестостерона в крови разводятся на 43% и изменяют женам на 38%

чаще других, а вероятность их вступления в брак на 50% ниже.

К сожалению, эстроген, который защищает сердце женщин, существенно продлевая им жизнь, и химически поразительно похож на тестостерон, присутствует у мужчин лишь в минимальных количествах. Эстроген обеспечивает женщинам не только более долгую, но и более качественную жизнь. Без наркотиков, алкоголя и никотина. Женщины в три раза реже попадают в зависимость от химических веществ, влияющих на нервную систему.

По мнению мужчин, нервная система в хрупком женском теле (которое так часто, хоть и ненадолго, притягивает их к себе) не отличается выносливостью, необходимой для борьбы. Данное утверждение также оказалось неверным. В 1995 году по заказу знаменитой американской Военной академии в Вест-Пойнте было проведено тщательное исследование физической выносливости человека. Оно показало, что в этом женщины вообще не уступают мужчинам. Характерно, что около 10,5% женщин признались в анкетах, что испытания на выносливость совпали у них с менструацией. Невозможно представить, чтобы мужчина, оказавшись на месте женщины, выдержал бы десятикилометровый марш-бросок с полной выкладкой во время месячных и не свалился бы с ног. Кое-кто упал бы в обморок просто при виде крови. Я почти уверен, что если бы у мужчин были свои «дни», то наверняка их сделали бы нерабочими. Сразу появился бы соответствующий закон или того пуще — декрет правительства. Кроме того, я склоняюсь к мысли, что если бы мужчины рожали детей, то ни у кого в мире не было бы ни братьев, ни сестер.

Czy mężcyźni są światu potrzebni?

Жизнь и мужчин, и женщин начинается с проникновения сперматозоида в яйцеклетку. Уже в этот момент возникает определенная диспропорция, которая должна заставить мужчин задуматься. Женская яйцеклетка имеет диаметр в среднем 120—140 микрон (миллионных долей метра), а головка сперматозоида (без хвостика) — только 6 микрон. Объем яйцеклетки превышает объем сперматозоида в 544 раза (если для удобства сравнения представить их в виде шара). Соотношение содержимого этих воображаемых шаров — 1 к 10 000. Следовательно, мы можем утверждать, что мужчина с самого начала уступает женщине.

Языческие по сути представления, что это женщина уступает мужчине, уходят корнями в глубокое прошлое. Исходя из этой ложной, на грани абсурда, посылки, мужчины выстроили свою деспотическую систему господства и закрепили ее юридически. Она существует с древнейших времен. В законах Месопотамии (1100 г. до н. э.) женщина рассматривается как инвентарь, принадлежащий мужчине. Одна из статей гласит, что жену-прелюбодейку можно лишить жизни, при этом измены мужа допускаются. В Новом Завете, в послании Апостола Павла сказано: «Жены, повинуйтесь мужьям своим, как прилично в Господе» (Колоссянам 3:18). Этот восемнадцатый стих всем хорошо известен. А вот следующий, девятнадцатый, к сожалению, известен гораздо меньше. Он гласит: «Мужья, любите своих жен и не будьте к ним суровы».

Другие религии также требуют безусловного подчинения женщины мужчине. В Индии женщина должна была добровольно броситься в погребальный костер мужа, а в Китае девочкам подвязывали пальцы на ногах (за исключением большого), что превращало ходьбу в мучение.

Чтобы, выйдя замуж, она не сбежала из мужниного дома. У германских племен женщин можно было покупать и продавать. Женщина должна быть прежде всего добродетельна и послушна. Сначала отцу и братьям, потом мужу, а в конце сыновьям. Это обосновывалось последовательно внедряемым (от Аристотеля до Фрейда) ложным тезисом, будто женщина — не что иное, как менее ценный подвид мужчины. Даже сам отец эволюционной теории Чарльз Дарвин отдал дань этим теориям, написав Альфреду Уоллесу — ученому, несправедливо обойденному в энциклопедиях, который самостоятельно пришел к тем же выводам, что и Дарвин, — что «эволюция женщины в определенной точке остановилась...» (письмо было опубликовано спустя много лет после смерти автора). При этом Дарвин не приводил никаких резонов, видимо, считая их генетически очевидными. И совершенно напрасно, что подтвердили результаты работы над знаменитым проектом расшифровки генома человека. Анонимными донорами генетического материала для этих исследований были и мужчины, и женщины. В итоге не было выявлено никаких различий, подтверждающих теорию полового детерминизма.

Это, однако, не помешало профессору Лоренсу Саммерсу, ректору одного из самых престижных университетов в мире — Гарвардского, на научной конференции сделать публичное заявление, что «женщины редко занимают высокие посты в академической сфере по причине генетических различий между полами». Часть аудитории, в том числе мужчины, в знак протеста покинули зал. Нэнси Хопкинс, профессор биологии соседнего (через реку) и не менее знаменитого Массачусетского технологического института, назвала заявление Саммерса «унижа-

ющим всех способных женщин, которые рабо-
тают в Гарварде под руководством человека, вос-
принимающего их подобным образом». Ректор
Калифорнийского университета в Санта-Круз
Денис Дентон публично заявила о невозможно-
сти далее поддерживать с ним дружеские отношения и назвала его высказывание «нагромож-
дением неприличного шовинистического
вздора». Сам Саммерс, припертый к стене, попы-
тался отказаться от своих слов, утверждая, что его
«занесло в вихре научной дискуссии». И даже это
неправда, поскольку никто с ним во время док-
лада не дискутировал.

Странно, но старая песня о том, что женщины якобы боятся рисковать, не имеют мотиваций
для достижения успеха и по своей натуре не
справляются с требованиями, которые предъяв-
ляет к ним работа на руководящих должностях,
по-прежнему находит слушателей — и это в наше

время, когда женщина в одиночку обогнула на
яхте земной шар, пересекла на весельной лодке
Тихий океан, пролетела над иракской пустыней
на пробитом артиллерийским снарядом самоле-
те, безошибочно управляла космическим кораб-
лем. Женщины, вопреки тому, что о них говорят,
не боятся власти и очень к ней стремятся. Комп-
лексные исследования репрезентативной группы
менеджеров обоего пола (более двух тысяч человек), проведенные профессором университета в
Коннектикуте Гэри Пауэлом (факультет управления), показали, что женщины «проявляют более
сильную потребность в самореализации» и обладают «более зрелым и амбициозным мотиваци-
онным профилем» (данные других ученых подтверждают эти выводы). К тому же женщины
больше привязаны к своему месту. Утверждение
фельетонистки из «New York Times» Морин Дауд,
написавшей: «Чем выше взбираются женщины по

служебной лестнице, тем менее они желанны», на поверку тоже оказалось ложным замшелым стереотипом. Хезер Боуши из вашингтонского Центра экономических и политических исследований, проведя анкетный опрос, пришла к выводу, что женщины 28—35 лет с высшим образованием, занимающие руководящие должности и зарабатывающие более 55 тысяч долларов в год, имеют такие же (или статистически более высокие) шансы на удачный брак, как и другие работающие женщины.

Да, женщин на высоких постах меньшинство — но это уже другой вопрос. Причина — в барьерах, которые встают перед ними на пути карьерного роста, все еще патриархально ориентированного. В большинстве корпораций — и в моей, к сожалению, тоже — у женщин словно толстый стеклянный потолок над головой. Сквозь него им прекрасно видно, чего они могли бы (или даже должны были) достичь, и вместе с тем он настолько толстый и крепкий, что пробить его трудно. Глядя вверх, они видят над собой в основном мужчин, которым не приходится карабкаться на высшие этажи управления в поте лица. Они нередко въезжают туда на эскалаторе, и причина вовсе не в том, что́ у них в голове, а в том, что́ внизу живота.

Лично я предпочел бы смотреть сквозь стеклянный потолок исключительно на женщин, и не только потому, что, допустим, мне любопытно, какого цвета у них белье, — но, увы, мои желания мало кого интересуют. Только один раз в истории фирмы, где я работаю, директорское кресло на предпоследнем этаже (непрозрачном, бетонном) офиса во Франкфурте-на-Майне заняла женщина. Это был самый сложный и самый драматичный период в истории нашей организации. Но именно эта женщина сумела выгодно продать нас главному инвестору, добившись лучшей цены. Именно она позаботилась, чтобы продажа прошла безболезненно для сотрудников, и именно она после многих лет работы фирмы в убыток сумела получить первую прибыль. На собраниях она выступала только тогда, когда ей было что сказать. Давала только те обещания, которые могла выполнить. Она была единственным руководителем, удосужившимся однажды ноябрьским вечером, в пятницу после 22 часов, зайти в мою прокуренную комнату, чтобы спросить: «А тебя, случайно, не ждет дома женщина?» Тогда, помню, еще ждала...

Стеклянные потолки, к счастью, дают трещины. Старая американская поговорка, что «мальчики не любят девочек, которые слишком шумят», постепенно теряет актуальность. Те, кому все еще не нравится этот шум, вынуждены будут к нему привыкать. По крайней мере, в рабочее

Зачем нужны мужчины?

время. Женщины меняются, и меняются в опасном для мужчин направлении. Западноевропейским социологам даже пришлось придумать для новой «породы» особое название: альфа-женщины. Исследования 2006—2007 годов, проведенные в Германии, Франции, Великобритании и Италии, подтвердили, что женщины оставляют мужской пелотон далеко позади. По данным института GEWIS[11], в Германии более половины выпускников средних школ — девушки. Оценки в аттестатах у них заметно лучше, чем у мальчиков. И более половины студентов немецких вузов — тоже девушки, хотя учатся они меньше по времени, юноши обычно на два семестра дольше; девушки заканчивают учебу с лучшими результатами (их оценки по пятибалльной шкале в

---

[11] Немецкий Институт изучения общественного мнения, аналог российского ВЦИОМ.

среднем на 1,3 балла выше). Кроме того, хлесткая поговорка «Послушные девочки попадают в рай, остальные — куда захотят сами» совершенно не находит своего подтверждения. «Послушные» девочки достигают вершин служебной карьеры, хотя и меньше грешат. Согласно статистике GEWIS за 2006 год, они отличаются большей верностью партнеру, разводятся на 23,7% реже, имеют по документам в среднем 1,8 мужа, и при этом обладают в 4,2 раза более дорогими автомобилями и в 18,5 раза чаще проводят отпуск на Фиджи или Маврикии (GEWIS любит точность).

Средний немец не может этого не знать, и не важно, что он понятия не имеет о GEWIS (для мужчин это в порядке вещей). Включив с утра радио или телевизор, он слышит женский голос. В редакциях на радио и телевидении большинство сотрудников — женщины. (Они не только притягивают взор и обладают волнующим голосом — сообщения из их уст, по данным того же GEWIS, вызывают больше доверия.) Потом он ловит такси, чтобы добраться, к примеру, до аэропорта. Доставляет его туда женщина. По дороге он читает газету, чтобы узнать, что сказала госпожа канцлер. В салоне самолета слышит, как госпожа командир корабля сообщает, что за бортом минус пятьдесят по Цельсию (обычная для полетов температура). После посадки берет в аренду автомобиль — ключи ему выдает женщина. Еще несколько подобных наблюдений, и он перестает удивляться.

А уж прабабка ортодоксального немецкого феминизма Алиса Шварцер давно этому не удивляется. В своей последней книге «Ответ», вышедшей в мае 2007 года, она поведала миру, что грядущее поколение будет жить под управлением альфа-женщин. Читая это произведение, я впервые за 15 лет — сколько читаю Шварцер — почувствовал, что она пишет уже без характерной ненависти к мужчинам. Ведь они, по мнению Шварцер, проиграли. Перестали быть врагами. Ненавидеть их больше нет смысла.

Но есть на свете мужчины, которые и раньше это знали. Всегда знали. Несмотря на Аристотеля, Фрейда, Дарвина и все глупости, идущие из Гарварда. Они восхищаются своими партнершами, приносящими домой работу «на вечер» в ноутбуках. Они готовят им ужин, ванну, массируют одеревеневшую от напряжения спину, гладят блузки, встают ночью к плачущим детям, и подруги для них желанны, несмотря на их высокие должности и зарплату, несмотря на то, что сами на официальных встречах вынужденно пребывают в их тени, неуютной для собственного ego, и частенько расплачиваются их кредитными картами. Но даже у таких мужчин порой возникают

Зачем нужны мужчины?

серьезные трудности. По данным немецкой газеты «Süddeutsche Zeitung» (декабрь 2004 г.), около 15% мужчин жалуются, что женщины мало помогают им по дому...

Перевод М. Курганской

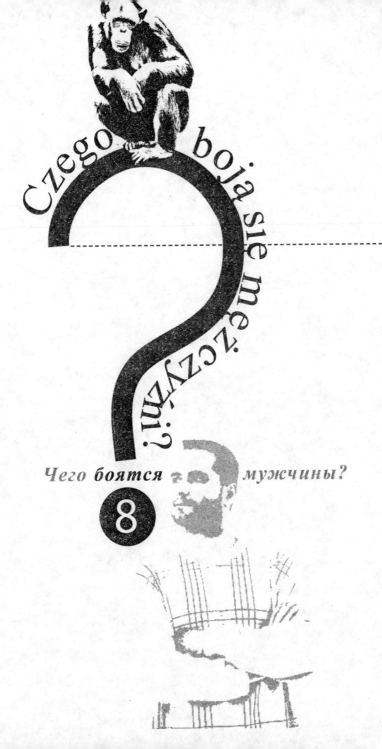

Czego boją się mężczyźni?

Чего боятся **мужчины?**

8

Орангутан оплодотворяет всех самок на своей тер-
ритории и исчезает, чтобы появиться вновь точно к
началу следующего периода спаривания. Во время сво-
его отсутствия он, ясное дело, не пишет им писем.
Случаи инфаркта у орангутанов не зафиксированы...

Ни одна из признанных социо-эволюцион-
ных теорий не оспаривает сегодня определения

человека как «нравственного животного»[12]. При этом многие из них ссылаются на схожее у животных и людей поведение в состоянии страха. Страх является базальной эмоцией. Чтобы индивидуум и весь род выжили, надо бояться. Области мозга, связанные с переживанием страха, находятся в так называемой лимбической системе и эволюционно являются одними из самых древних. Оказывается, испугавшись, близкие нам человекообразные обезьяны, такие, как шимпанзе, бонобо (карликовые шимпанзе), гориллы и орангутаны, — демонстрируют реакции, удивительно похожие на человеческие.

---

[12] Определение Роберта Райта, эволюционного психолога, из его нашумевшей книги, посвященной врожденным основам морали — «The Moral Animal: Evolutionary Psychology and Everyday Life», 1994 («Нравственное животное: эволюционная психология и повседневность»).

Особенно это касается самцов. Их страхи связаны по большей части с обеспечением «исключительного права доступа к самкам». К примеру, орангутан устанавливает и метит территорию, где находятся его самки, спаривается с ними, чтобы иметь как можно более многочисленное потомство. Находясь на своей территории, самец проявляет постоянное беспокойство: без устали, даже ночью, обходит границы, проверяя, все ли самки на месте, и в жестоких битвах изгоняет соперников. Это вызвано страхом: орангутан делает все, чтобы на его территории самки не рожали чужих детенышей. Выполнив свою миссию производителя, он исчезает на длительное время и возвращается только тогда, когда самки снова будут готовы к оплодотворению. Во время своего отсутствия он, ясное дело, не пишет им писем.

Для самца гориллы и шимпанзе характерна другая модель поведения. Он предпочитает царить в смешанной группе, где, кроме взрослых самок и их детенышей, есть несколько молодых самцов (эволюция позаботилась о наследниках), чье присутствие доминирующий самец терпит, беспрерывно пресекая их притязания на доступ к самкам и власть.

Такое поведение человекообразных обезьян (линии предков человека отделились от линии обезьяньей совсем недавно, всего около 8 млн лет назад) демонстрирует базальные страхи. В несколько ином, но не сильно измененном виде базальные страхи характерны для уже упоминавшейся здесь «романтической любви», понадобившейся человеку для подтверждения своего особого положения в животном мире. По мнению многих антропологов (а в последнее время к ним присоединились психиатры и психотерапевты), это очень неудачное изобретение. Восхваляемая и воспеваемая поэтами романтическая любовь —

источник еще больших страхов и страданий, которые орангутанам и гориллам уж точно неведомы. Это прекрасно описал Зигмунд Фрейд в своей работе «Неудовлетворенность культурой»[13] (1930), ставшей для него переломной.

Оказывается, страхи мужчин и страхи бонобо имеют одинаковые причины, даже если называются по-разному. Анкетные опросы, разработанные, проведенные и проанализированные Институтом Кинси, показывают, что утверждение, будто мужчины больше всего боятся облысения или царапин на лакированной поверхности своего автомобиля, не соответствует действительности. Основной источник страхов у мужчин — постель их женщины. Данные, полученные в 1997—2000 годах, свидетельствуют, что у мужчин в период интенсивной личной жизни (до

---

[13] Sigmund Freud. «Das Unbehagen in der Kultur».

35 лет) доминирует страх перед потерей партнер-ши. Около 83% задумывались об этом и страдали, опасаясь развития событий по такому сценарию.

Известный французский романист Стендаль (Анри Мари Бейль) еще в XIX веке заметил, что «...степень любовного наслаждения всегда пропорциональна нашим страхам». «Романтическая любовь» — это в значительной мере не что иное, как состояние страха, переходящего в ужас, невроз навязчивых состояний (постоянное неконтролируемое возвращение мыслями к определенному действию, событию или человеку) и необоснованная эйфория, сравнимая с маниакальными фазами у больных маниакально-депрессивным психозом. Психолог Дороти Теннов из университета Бриджпорта (США) в 1979 году подробно описала это явление на примере 400 с лишним мужчин и женщин и пришла к выводу, что влюбленные от 85 до 100% времени в течение

Зачем нужны мужчины?

суток проводят в размышлениях о своем избраннике или избраннице. Причем эти размышления носят весьма специфический характер. В них превалируют два чувства: надежда и неуверенность. Малейшее — часто лишь кажущееся — проявление неприязни со стороны возлюбленного или возлюбленной вызывает приступ беспросветного отчаяния и сильнейшей тревоги. С другой стороны, любой незначительный жест, позволяющий надеяться, что это неправда, влюбленные способны бережно хранить в памяти.

Также исследование Д. Теннов подтвердило давно известную истину: холодность партнера не отталкивает влюбленных, а, напротив, разжигает чувства, доводя их до почти болезненной сосредоточенности на предмете страсти. В крайней форме это пришлось испытать герою романа Стендаля «Красное и черное» Жюльену Сорелю, который погиб на эшафоте из-за любви...

Я пытаюсь представить, что мог чувствовать Сорель перед смертью. Как бы он описал свою любовь, за которую ему суждено было умереть? Стендаль, наверное, сделал бы это так: «Любовь — это страсть. Она выводит из равновесия. Нарушает ритм. Отнимает покой. Меняет все. Переворачивает все вверх ногами. Выворачивает наизнанку, запад превращает в юг, а север — в восток, меняет местами добро и зло, велит открыть свое сердце, ничего не требуя взамен. В таком помрачении не избежать страданий и страха. Парадоксально, но без них любовь не имеет смысла. В кульминационный момент этого безумия ничто, кроме избранника или избранницы, не имеет значения. Даже собственная смерть...»

С другой стороны, прояви Сорель чуть больше терпения, любовный дурман развеялся бы, и он наверняка остался бы жив. В одном из вариантов легенды о Тристане и Изольде время дей-

214

ствия любовного наваждения ограничивается тремя годами. Исследования нейробиологов подтверждают этот срок. Влюбленные пребывают в одурманенном состоянии. Вещества, которые проникают у них через рецепторы, находящиеся в мембранах нейронов, на самом деле почти наркотики, за употребление которых предусмотрено суровое наказание (фенилэтиламин, относящийся к группе амфетаминов; опиаты, по действию близкие к кокаину и героину; вызывающий «кайф» адреналин). Если бы во время свадьбы можно было сделать не только фотографии, но и снимки мозга молодоженов методом магнитно-резонансной томографии (МРТ), то наряду с бережно хранимыми в альбомах свидетельствами неземного счастья там оказались бы свидетельства наркотического опьянения. Состояние страстной влюбленности, подобно другим симптомам чувственного возбуждения на гормональном и химическом уровне, не может, к сожалению, длиться более трех лет, о чем я, впрочем, уже упоминал. Выводы антропологов, которые не могут заглянуть в человеческий мозг и лишь изучают историю и обычаи, существовавшие в разных культурах и цивилизациях, полностью подтверждают это наблюдение.

Уровень страха, вызванный перспективой потери избранницы, заметно (на 25%) снижается спустя год после свадьбы; этот страх вытесняется другим. Около 38% мужчин опасаются, что жена обнаружит снижение их либидо и попытки уклониться от интимных отношений. Мужчина сам замечает, что жена стала для него менее желанна, чем в начале супружества, и боится, что та в конце концов это поймет. А вот орангутаны, и в особенности бонобо, совершенно не испытывают подобного страха, поскольку регулярно меняют партнерш.

Зачем нужны мужчины?

Доминирование женщины пугает мужчину больше, чем импотенция. Гориллы и орангутаны вообще не страдают нарушением эрекции до самой смерти. В то же время не было зафиксировано ни одной попытки самок орангутанов или горилл доминировать над самцами.

Кроме страха утраты партнерши и, парадоксальным образом, страха, вызванного снижением влечения к ней, около 61% мужчин опасаются за свое доминирующее положение в союзе с женщиной. Лидерство в стае, даже если она состоит в наши дни из жены и среднестатистического 1,5 ребенка, по-прежнему мощно укоренено в системе мужских приоритетов. Достигшие высокого социального и материального положения женщины, по представлениям мужчин, сформировавшихся в обществе, которое, увы, по-прежнему остается патриархальным, серьезно угрожают их господству. Втиснутые в структурные рамки больших корпораций, фрустрированные многоуровневой системой подчиненности — шефам, директорам, президентам и председателям всех мастей, — они хотят, подобно шимпанзе и гориллам, сохранить нетронутой хоть одну область своего безраздельного доминирования. Таковой им видится, главным образом, их дом, который они раз и навсегда пометили как свою территорию, где пользуются абсолютной властью. Женщины подсознательно это чувствуют. В супружеской измене признается не более полутора процентов анкетированных женщин.

Далее появляется страх перед импотенцией. Но он свойствен в основном зрелым мужчинам старше 45 лет. Среди них более 33% признаются в эпизодических нарушениях эрекции, которые каждый раз повергают их в панический страх. Среди мужчин в возрасте до 35 лет страх импотенции испытывает только 14% респондентов. Данные немецких сексологов и урологов свидетельствуют о том, что мужчины-«подкаблучники» в три раза чаще обращаются к специалистам за помощью в связи с импотенцией. Интересно, что случаев импотенции у человекообразных обезьян не зафиксировано. К этому стоит добавить данные, которые приводит немецкий еженедельник «Focus» (2005 г.). Лишь ничтожные 1,3% мужчин, употребляющих виагру или близкие по действию препараты, отваживались сообщить об этом своей партнерше. В данном случае поведение мужчин не отличается от поведения женщин, которые до последнего скрывают от всех, что сделали пластическую операцию. Невероятно, но факт: по данным американского ежемесячника «Men's Health» более трети мужчин, чьи партнерши увеличили грудь или улучшили ее форму при помощи силиконовых протезов, даже не догадываются о не совсем естественном ее происхождении.

В отличие от самцов горилл, страх перед появлением в семье не своего потомства встречается у мужчин на удивление редко. Только 0,8% признаются, что иногда испытывают подобные опасения. А между тем, начиная с 90-х годов XX века, количество детей, рожденных в браке не от мужей, оценивается как 4,5% (в США и Западной Европе). В 1992 году Джаред М. Даймонд, известный американский физиолог и биолог-эволюционист, обнаружил результаты генетических исследований, проведенных в 40-х годах XX века. Он описал их в очень любопытной книге «Третий шимпанзе»[14] (1991).

Эти исследования проводились в Соединенных Штатах и показались современникам на-

---

[14] Jared Diamond. «The Third Chimpanzee: The Evolution and Future of the Human Animal».

столько шокирующими, что никогда не были опубликованы, а их автор по сей день предпочитает оставаться неизвестным. В родильном отделении одной уважаемой американской клиники взяли пробы крови у новорожденных и их родителей — всего у более тысячи семей. Каково же было удивление ученого, когда он обнаружил, что в 10% (sic!) случаев, судя по группе крови ребенка, данная пара никак не могла быть его родителями. Поскольку родственная связь новорожденного с матерью не вызывает сомнений, объяснение может быть только одно: ребенок родился в результате супружеской измены. Обратите внимание — эта цифра еще сильно занижена! Недостаточная точность методов исследования в сороковые годы по сравнению с сегодняшним днем не позволяла учесть все генетические факторы. К тому же не стоит забывать, что в случае беременности не от супруга, а от другого партнера, женщины намного чаще решаются на аборт. Есть данные, показывающие, что в некоторых странах 30% детей не принадлежат мужчинам, которые называются их отцами. Значит, если в семье трое детей, то мужчине стоит задуматься, все ли они действительно его.

Главную причину следует, наверное, искать в том, что гораздо больше мужчин изменяют жене не с одной партнершей, а со многими. Около 42% американцев, которых принято считать пуританами, признаются (в анонимных анкетах), что изменяют своим подругам. В Польше, где 90% населения декларирует принадлежность к римско-католической церкви, 33% мужчин и 16% женщин признаются в нарушении шестой заповеди (это наверняка неточная цифра, поскольку людям даже при анонимных опросах свойственно стремление выставить себя в лучшем свете, чем есть на самом деле). Эти данные получены

Збигневом Издебским и Антониной Островской («Секс по-польски», 2004)[15].

Измены — это тоже серьезный фактор фрустрации для мужчин. Более 67% тех, кто изменяет жене, живут в страхе, что их поступки выплывут наружу. Этот процент значительно уменьшается с возрастом, что мужчин отнюдь не украшает. В возрастной группе от пятидесяти лет и старше число неверных мужей, опасающихся разоблачения, падает примерно до 31%. Психологи объясняют это «синдромом предчувствия приближающегося конца». В возрасте старше пятидесяти вероятность, что мужчина бросит жену, предпочтя ей молодую любовницу, на 73% выше, чем в возрасте от тридцати до сорока пяти (данные немецкого ежемесячника «Psychologie Heute», 2005).

---

[15] Zbigniew Izdebski, Antonina Ostrowska. «Seks po polsku. Zachowania seksualne jako element stylu życia Polaków».

Прав был английский поэт и драматург Джордж Гордон Байрон, утверждавший, что «любовь подобна краснухе или кори — она тем опаснее, чем позже мы ею заразимся».

Перевод М. Курганской

Jakich mężczyzn wybierają kobiety?

Каких мужчин выбирают женщины?

9

Женщины выбирают чутких, деликатных, верных, благородных, умных, романтичных, отзывчивых и сговорчивых мужчин. Так утверждают поэты и заявляют сами женщины. Однако ученые говорят иное...

Когда перед женщинами стоит выбор, они отдают предпочтение мужчинам с перспективой. Прошлое избранников их мало интересует. Кроме, разве что, свойств, обусловленных эволюцией, — это имеет большое значение. В 2002 году научный журнал «Nature Genetics» опубликовал статью о результатах исследований, проведенных генетиками Чикагского университета. Выяснилось, что женщины буквально вынюхивают подходящих мужчин. Группа из сорока девяти случайно подобранных женщин разного возраста нюхала майки мужчин, которые, не пользуясь парфюмерией и избегая контакта с другими людьми, спали в них последние две ночи. Значительное большинство женщин, выбирая на этой основе наиболее привлекательных партнеров, сделали выбор в пользу тех, у которых группа генов, именуемая главным комплексом гистосовместимости (MHS, англ. *Major Histocompatibility Complex*), сильнее всего отличалась от их собственной. Чем больше отличаются группы генов MHS мужчины и женщины, тем более исправная и надежная система иммунитета будет у потомства, рожденного от такой пары. Дети у этой пары имеют шанс на долгую здоровую жизнь и передачу своих генов дальше. Одним словом, женщины вынюхивают не только самых лучших партнеров, но и самое лучшее будущее для своих потенциальных детей, рожденных от союза с такими партнерами. Очень по-женски, предусмотрительно и заботливо. Пусть даже это всего лишь отрыжка эволюции. Однако этот механизм иногда дает сбои. Оказалось, что женщины, которые глотают противозачаточные таблетки, предпочитают мужчин с запахом, похожим на запах их братьев или отцов. Принцип минимального генетического родства в этом случае не действует.

Доктор Кэрол Обер, руководившая этими исследованиями, пытается на их основе (по-моему, чересчур увлекаясь) объяснить высокий показатель разводов в промышленных обществах, где

229

женщины все реже «нюхают гены» мужчин, а все чаще — их духи (а также духи их любовниц и секретарш) либо запах, принесенный из автомобиля, конторы или ресторана.

В целом у женщин куда сильнее развито обоняние (о чем я писал раньше), и они с увлечением нюхают мужчин. И тому причиной не только эволюция. Исследования, проведенные в Питтсбургском университете, доказали, что около 90% женщин нюхают (и часто надевают на себя) вещи партнера. Особенно когда его нет дома.

Это открытие не пахнет особой новизной. Давно известно, что генетическое разнообразие у всех существ имеет решающее значение при выборе партнера. В генетике это известно под названием эффекта Вестермарка. Самки почти всегда изменяют самцам, если встречают кого-то с еще более непохожим набором генов. Ученые из Манчестерского университета во время исследований сексу-

альных отношений на стороне заметили некую особенность: истечение спермы из влагалища изменя-
ющей мужу жены (интересно, как они это замери-
ли?) намного меньше, а самые измены случаются в
два раза (!) чаще, когда женский цикл находится в
фазе готовности к оплодотворению. Интерпрети-
руя это с точки зрения эволюции и овуляции, можно сделать вывод, что женщина подсознательно
стремится генетически разнообразить потомство,
создавая ему уже в самом начале наибольшие шансы для выживания. Интересы воспроизводства остаются важным фактором человеческого поведения, даже если женщина идет с кем-то в постель
исключительно ради собственного удовольствия.
Умные женщины тщательно заботятся о бессмер-
тии генов. Всегда. Даже во время оргазма.

Команда норвежских и немецких орнитоло-
гов изучала популяцию синиц в Венском лесу.

Оказалось, что яйца в их гнездах имеют как «законное» происхождение, так и «левое». Причем и тех и других было поровну. Исследования «левых» яиц показали, что чаще всего это потомство соседа самки. Кроме того, выяснилось, что сосед имел не только иной комплекс гистосовместимости, но и был более привлекательным — либо крупнее (размером), либо лучше пел песни. Наблюдения показали, что птичья трель сильнее воздействует на самок старшего возраста, чем на более молодых. Это подтверждено и исследованиями других птиц. Ученые из государственного университета Мэриленда долгое время наблюдали за атласными шалашниками. Самцы этого вида, чтобы приманить самок, строят очень красивые гнезда (шалаши) и исполняют перед ними свадебный танец. Замечено, что чем моложе самка, тем больше внимания она обращает на шалаш и меньше — на сам танец.

Зачем нужны мужчины?

Оказывается, женщины тоже выбирают партнеров по вышеприведенной системе. Образ высокого, стройного, чуткого, романтичного бедного студента с небритой щетиной, в растянутом черном свитере, играющего на гитаре у костра, постепенно уходит в прошлое. Молодая женщина, имея выбор, предпочитает мужчин «с верхней полки». Это гарантирует финансовое благополучие ей и ее потомству. Деньги хоть и не пахнут, зато являются весьма действенным афродизиаком и показателем привлекательности. Из исследований, проведенных в США, следует, что доходы молодых женатых мужчин в полтора раза выше, чем их холостых ровесников. Наивно предполагать, будто они больше зарабатывают потому, что имеют жен. На самом деле жены у них есть, потому что они больше зарабатывают. От образа бедного гитариста у костра ныне остался лишь его рост, увы, также пересчитываемый на деньги. Каждый лишний дюйм (около 2,5 сантиметра) мужского роста по статистике в США прибавляет примерно 600 долларов к его годовой зарплате. В Германии же, согласно исследованиям 2004 года, проведенным университетом в Йене, каждый лишний сантиметр означает дополнительных 400 евро на счету в конце года.

Только в ситуации ограниченного выбора женщина постепенно снижает планку своих ожиданий. Давно известен так называемый эффект закрытия бара. Одинокие женщины в поисках партнера ходят в особые места, чаще всего — в бары. Социологи наблюдали поведение женщин в таких барах. С каждым часом их запросы в отношении находящихся там мужчин становились все скромнее. Незадолго до закрытия они готовы были отдаться даже таким, которых поначалу полностью игнорировали.

Совершенно не имеющим значения оказался (для женщин!) культ фаллоса, о чем я, впрочем, уже

Зачем нужны мужчины?

говорил. Из анализа анкет Института Кинси следует, что длина пениса при выборе партнера попала на одно из последних мест в шкале ценностей. Однако куда ниже на этой шкале оказалась говорливость мужчины. Женщины не выносят слишком болтливых мужчин, отождествляемых с «жалкими тамадами» на приемах. Институт Кинси не объясняет этого факта. Лично я полагаю, что здесь речь идет о сексе. Пожалуй, нет ничего хуже для женщины, чем когда богатый высокий мужчина с идеально пахнущим и сильно отличающимся от ее собственного MHS вдруг перестает целовать ее, чтобы рассказать внезапно вспомнившийся ему анекдот...

Перевод В. Волобуева

Z jakimi mężczyźnami kobiety nie mają dzieci?

С какими мужчинами женщины
10 не
имеют
детей?

Неверно, будто сегодня женщины не хотят иметь детей. Хотят. В большинстве своем они стремятся к этому так же, как их бабки и матери, а также первые и все последующие свекрови. Вот только сегодня они иначе решают, когда и с кем.

Случай 1: Дебора, Гамбург

От первого брака, который длился восемь лет, у нее осталось несколько стенок IKEA и шестьдесят тысяч евро «компенсации». Устаревшее немецкое законодательство конца XIX века в одном из параграфов защищает женщину от «оставления без средств к существованию». Взамен ее первому мужу было позволено сохранить за собой дом и получить разрешение на пожизненную выплату ипотеки. По сути, он должен быть ей за это благодарен. О собственных детях, занятые своими карьерами, они не разговаривали. Ну разве только о шумных соседских близнецах за стеной.

Ее «второй» продержался в своем первом браке целых три года. Очень способный, несколько эксцентричный математик буквально сбежал от своей китайской жены, которая, ошалев от жизни в богатом районе Лондона, охладела к нему, все больше увлекаясь сумочками от Louis Vuitton. Через два года он заметил, что ей вообще ничего, кроме сумочек, не нужно. Он уехал из Англии и вернулся к матери в Гамбург. Ни о чем не жалеет, кроме книг, которые, поспешно убегая от китаянки, не успел упаковать.

Они встретились на курсах... кулинарного искусства. Она была заинтригована. Ее всегда привлекала женственность в мужчинах. Однако это было единственное, что она поначалу нашла в нем (поначалу больше ничего интересного не нашла). Он всегда был немного отрешенным, постоянно горбился и слегка косил. Лишь позднее она открыла в нем чрезвычайно умного, возвышенного, тонкого и доброжелательного человека. Они начали проводить вместе выходные. Через год она переехала к нему. Уже спустя

241

несколько недель он принялся уговаривать ее завести ребенка. Она упорствовала.

Она не хочет детей. Ни одного мужчину не любила так сильно, чтобы захотеть родить от него ребенка. Кроме того, несмотря на свои тридцать шесть лет, она полагает, что еще не пришло время. Но даже если время пришло и прошло, ничего страшного. У ее матери было четверо детей, но лишь теперь, когда все они выпорхнули из гнезда, она, кажется, счастлива. Просто ей не хочется. Чего? Видеть себя с огромным животом, кормить грудью, ни к чему ей бессонные ночи и то бесконечное рабство и ответственность, которых не избежать после родов.

Он же страстно хочет детей. Его женственность, казавшаяся такой привлекательной поначалу, теперь выводит ее из себя. Он обещал ей, что бросит работу в Цюрихе, переедет в Гамбург, наймет няню, возьмет годовой отпуск, а она сможет вернуться к работе, когда только захочет. Кроме того, чтобы не тесниться с ребенком в маленькой квартирке (100 квадратных метров!) в центре загазованного города, после родов — так решила его мать — они немедленно переедут на ее виллу неподалеку от парка. Мать уже давно хотела им ее подарить. Что за чушь?! Если она решит завести ребенка, то заведет, даже если бы пришлось переехать с ним в приют...

Случай 2: Моника, Амстердам

Сначала он регулярно приезжал в Польшу и наведывался к ней. Все чаще оставался на ночь. После очередного визита она бросила только что начатую учебу в Польше, собрала чемоданы и однажды появилась в дверях его квартиры со словами: «Я приехала». Осталась. Расставила свою косметику в ванной, заняла место у стены в его кровати, принялась готовить обеды к его возвращению с работы, подружилась с его котом, прочла все книги на тему «как жить и выжить с эгоистом» и упорно, настойчиво принялась его переделывать. Не испытывая угрызений совести и не пытаясь что-либо переменить в своей жизни, она прожила так несколько лет и пребывает в этом состоянии по сей день.

Он попросил ее руки без тени романтического воодушевления. Подсчитав, что после свадьбы, согласно голландскому законодательству, они будут платить намного меньше налогов, однажды воскресным днем за завтраком он просто сообщил, что «дешевле будет пожениться». Она подумала, что пока еще не совсем его изменила, но продолжала трудиться.

Сегодня она уже может заявить, что ей это удалось. Они живут исключительно друг для друга. И не хотят делить ни с кем того, что имеют.

Помнят даты не только самых важных событий в их совместной жизни, но и самых мелких: первой прогулки, первого поцелуя, дня ее неожиданного приезда. Пишут друг для друга стихи и время от времени устраивают торжественные обеды. Он покупает ей самые красивые фарфоровые чашки, а она посылает ему на работу шоколадки. Как и у всех, у них почти нет свободного времени, но если оно появляется, они дарят его только себе. И коту. Выезжают в экзотичные уголки мира, чтобы «познать самих себя». И так уже пятнадцать лет. Дети? Он не против. Даже очень хочет. Она — нет. Может, когда-нибудь... Впрочем, зачем нарушать покой и гармонию? Ей хорошо с ним вдвоем, а дети сегодня — это такие траты. Она решила, что еще над ним поработает...

Случай 3: Патриция, Гданьск

Она полностью ему подчинилась. Наверное, это какая-то постоянная, наследуемая в их роду генетическая мутация. Ее мать тоже, казалось, была убеждена, что без отца никто не заметит ее существования. У нее эта мутация, похоже, вошла в новую стадию. Уже через несколько месяцев она поняла, что он задерживает взгляд только на худых пышногрудых блондинках. Для него она перекрасилась в блондинку. Для него постоянно сидела на диете, приближаясь к опасной границе анорексии. Хотела быть как можно более светловолосой и худой. Грудь, к счастью, у нее и без того была большая. Мечтала, что он будет задерживать взгляд только на ней. Вообще слишком сильно хотела привязать его к себе.

Она встретила его на железнодорожной станции в Насельске. Работала тогда в привокзальном

Зачем нужны мужчины?

кафе. Принесла ему кофе в своей чашке, хотя всем кофе подавали в пластиковых стаканчиках. С самого начала он показался ей ни на кого не похожим. Позже он проезжал через Насельск еще несколько раз. Однажды приехал, уселся с утра за столиком под мегафоном, уставился на нее и просидел до конца ее смены, хотя она в тот день работала до вечера.

Приезжал еще три раза. Во второй раз посадил ее на заднее сиденье своей машины, а в третий — просто забрал из вонючего кафе в другой мир. К себе, в квартиру с ванной в Гданьске. Первые несколько лет она знала, что он принадлежит только ей. Главным образом потому, что она молодая. Некоторые мужчины обожают затаскивать в постель женщин возраста своих дочерей. Но годы шли, она начала чего-то опасаться, поэтому снова осветлила волосы и похудела. Ни за что на свете не хотела бы опять оказаться в деревне под Насельском. Однажды рискнула и отказалась от таблеток. Но у него уже были две дочери, он не хотел нового ребенка и очередных алиментов. Даже если бы родился сын.

Она подчинилась и сделала аборт. Подождет еще...

Перевод В. Волобуева

Mężczyzna jako ojciec

Мужчина как отец

11

Можно долго дискутировать на тему, когда же юно-
ша превращается в мужчину. По-моему, это не име-
ет ничего общего с возрастом и датой рождения, зна-
чащейся в документах. Но с самим рождением имеет.
Рождением его первого ребенка...

Анджею сорок четыре года, у него три дочери и две бывшие жены. Он трудится на двух работах, вносит плату за четырехлетний «фиат пунто», переводит со счета деньги за аренду однокомнатной квартиры, оставляет немного на бензин, еду, абонемент мобильного телефона и «на черный день». Остальное высылает своим бывшим женам. Для дочерей. Кроме того, из заначки «на черный день» оплачивает уроки репетитора английского для Агнешки и конной езды для Мирки. Мобильник держит, чтобы дочери всегда могли с ним связаться. В любой момент. А еще очень старается, чтобы его отношения с бывшими женами неизменно оставались дружескими и уважительными. Поведение Анджея свидетельствует о том, что он в большой мере является эволюционным мутантом...

Отношение мужчин к своему потомству жестко обусловлено эволюцией. Неодарвинисты ут-

верждают, что это обосновано разницей в стра-
тегиях, которые используют мужчины и женщины, когда речь заходит об инстинкте размножения и распространении своих генов. Мужчина
может беспечно сеять их по свету, а биология под-
сказывает женщине — и она всегда об этом по-
мнит, — что у нее будет лишь тридцать шансов на
рождение отпрысков (и то в чрезвычайных, почти исключительных случаях). Поэтому женщины куда более заботливы, несмотря на то, что
природа помогает мужчинам, определенным образом стараясь привязать их к потомству.

Канадские эндокринологи измеряли уровень
тестостерона у мужчин до и после рождения ребенка. Средний уровень после появления на свет
потомка у всех без исключения исследуемых явно
упал и сохранялся таковым еще долгое время. Это
объясняется приспособлением мужского либидо
к тому факту, что, во-первых, женщина после ро-

дов некоторое время сексуально недоступна, а во-вторых, пониженный уровень тестостерона действует успокаивающе и отбивает охоту у мужчин пускаться во все тяжкие, подготавливая их таким образом к роли отцов.

Крупномасштабные исследования, проведенные антропологами государственного университета Раджерса (Нью-Джерси, США) среди представителей шестидесяти двух культур — от Филиппин до Гренландии и от Чили до Китая — обнаружили небольшую склонность к заботе о потомстве у мужчин, зато очень значительную — у женщин. Был сделан вывод, что это не приобретенная, а биологически обусловленная модель поведения. В противоположность мужчинам женщины неагрессивны (как мы знаем, это вызвано меньшей выработкой тестостерона женским организмом). Большинство документально зафиксированных случаев агрессивного поведе-

Зачем нужны мужчины?

ния у женщин (вплоть до убийств) связано с не-
обходимостью защитить потомство от жестокос-
ти отцов. Это также относится и к агрессивности
женщин в зале судебных заседаний во время бракоразводных процессов.

Поведение мужчин, возлагающих заботу о детях целиком на женские плечи, чрезвычайно на-
поминает поведение всех высших животных, особенно генетически близких нам обезьян. Самцы
шимпанзе и орангутанов, правда, не бросают самок, от которых имеют детенышей, но занимаются главным образом борьбой за лидерство в
стае, нападая на других самцов, запугивая их и
обманывая, чтобы обеспечить себе доступ к как
можно большему числу самок. Аналогии с поведением мужчин (необязательно в стае) налицо.

Отношением к потомству в большей мере
обусловлено отношение мужчин к женщинам,
которые родили от них детей. Согласно резуль-

татам анкетирования, проведенного Институтом
Кинси в марте 2002 года, число разведенных мужчин, находящихся в неудовлетворительных либо
прямо-таки враждебных отношениях с матерями
их детей, составляет около 14% для мужчин от
30 до 40 лет и лишь 9% — старше 40. Женщины
видят эти отношения совершенно по-другому.
Свыше 48% женщин 30—40 лет определяют их как
неудовлетворительные, недружелюбные или
враждебные. Что интересно, число женщин старше 50 лет, утверждающих то же самое, составляет
целых 52%. Чтобы понять причины таких расхож-
дений, Институт Кинси дополнительно проана-
лизировал свои данные и выяснил, что мужчины
своеобразно представляют себе отцовскую роль
и, как правило, удовлетворены тем, что раз в ме-
сяц выплачивают алименты. Женщины же понимают роль отцов куда шире. Часто они готовы отказаться от финансовой помощи бывшего

партнера, лишь бы он чаще и теплее общался с детьми. Очень удачно выразила это несовпадение героиня драмы Августа Стриндберга «Отец»: «Если даже правда, будто мы произошли от обезьян, то в этом должны были участвовать два разных вида». Стриндберг, хоть и был известным женоненавистником, на этот раз принял сторону женщин.

Исследование немецкого еженедельника «Der Spiegel» в октябре 2003 года среди репрезентативной группы подростков из разведенных семей показало, что для них самое важное — хорошие отношения отца с матерью. Даже подарок от отца на восемнадцатилетие в виде новой машины не имеет особого значения. Дети из подобных семей, как правило, любят обоих родителей, причем почти всегда, что подтверждают психологи, испытывают более теплые чувства к той стороне, которая сильнее пострадала в результате развода. Часто случается, что они сильнее привязываются к несчастному — по их мнению — отцу, даже если живут с матерью. Тяжелее же всего для них свыкнуться с мыслью, что они должны любить обоих расставшихся родителей. Чем дольше я живу на свете, тем больше убеждаюсь (без всяких анкет и исследований), что самое лучшее проявление любви отца к детям — его любовь к их матери...

Перевод В. Волобуева

Jak cierpią mężczyźni?

Как страдают мужчины?

12

9*

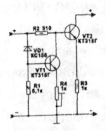

Мужчины, когда они счастливы, как бы ни старались, не сумеют этого выразить. Когда же страдают, делают все, чтобы не подать виду.

Карин было неполных девятнадцать лет, у нее было счастливое детство, отец, который ни разу не говорил, что ее любит, но никогда не уходил спать, прежде чем не поцелует дочку на ночь, и мать, которая без памяти любила ее, но ни разу не приласкала. Кроме того, у нее было «три тысячи грез о будущем» и два серьезных плана на жизнь. Она хотела стать кардиологом и писать сказки для детей. Поэтому она была лучшей ученицей в школе и писала лучшие сочинения на немецком. Субботним вечером 16 декабря 2000 года, часов в десять, Карин возвращалась от своей подруги на «форде фиеста» домой во Франкфурт-на-Майне. На повороте заснеженной дороги километрах в четырех от родительского дома машина врезалась в придорожное дерево. Карин погибла на месте от травм головы. Врачи сказали, что она не страдала...

Мать

Тот, кто говорит, что «жизнь продолжается», либо глупый невежда, либо лицемер, не знающий, что еще можно сказать в утешение. И уж наверняка никогда не хоронивший своего ребенка. Соболезнования, должно быть, придумал идиот, не знающий, что есть чувства, которые нельзя выразить словами. Мой муж шесть месяцев после смерти Карин никого не впускал в дом. Даже своих родителей. И не брал телефонную трубку. Уволился с работы, чтобы пить, страдать и плакать, когда захочется. Раньше он никогда не плакал. Ну разве что в одиночестве, если никто не мог его увидеть. Даже я. До сих пор я не видела его слез, хотя мы знаем друг друга двадцать восемь лет. После смерти Карин он закрывался на целые дни в подвале нашего дома и наверняка плакал. Карин была вся в него. Даже когда сдох ее любимый лабрадор, она не плакала. Моя жизнь отнюдь не «продолжается». Моя жизнь остановилась у того самого дерева, шестнадцатого декабря, шесть лет назад. Первый год после катастрофы прошел как в тумане. Словно кто-то вырезал его бритвой из моей памяти. И сейчас я только существую — исключительно потому, что не имею смелости покончить со всем этим. Больше всего жду ночи. Во сне Карин мне улыбается, а я прижимаю ее к себе и прошу прощения. Это я настояла, чтобы отец не покупал ей новой машины на восемнадцатилетие. Полагала, что на деньги, которые мы сэкономим, приобретя подержанный автомобиль, сумеем наконец выбраться втроем в отпуск. В ее «фиесте» не было подушек безопасности. Муж никогда не простил мне этого. Пьяный, будил меня ночью и кричал в приступах истерики, что «на памятник на ее могиле мы потратили больше, чем на машину!». Поэтому я уже четвертый год запираюсь в спальне на ключ. Муж со дня смерти Карин не спит со мной. Иногда мне кажется, что, когда приближается день рождения Карин или декабрь, он неделями ест только успокоительные таблетки, запивая их фруктовой водкой. Временами в таком состоянии он ездит в школу Карин и ждет ее там. Иногда и ночью.

После катастрофы он ни с кем не говорит о Карин. Вам тоже ничего не скажет. Просто страдает, не имея сил жить...

Отец

(Она была права. Он ничего не сказал. Ни о Карин, ни о себе...)

В 2001 году немецкий ежемесячник «Psychologie Heute» опубликовал репрезентативные данные о ходе глубокой клинической депрессии, имеющей экзогенный характер (то есть вызванной конкретным событием). Больные были разделены на группы по половому признаку.

Мужчины в четыре раза чаще, чем женщины, кончают с собой. Случаи анорексии (отказ принимать пищу) у них в два раза чаще, а алкоголизма — в шесть раз. Самокалечение (целенаправленный перенос психической боли на более терпимую физическую) в восемь раз чаще. Уголовно наказуемая агрессия в этот период (чаще всего драки и избиения) встречается только у мужчин. Мозг мужчины изначально производит примерно на 20–30% меньше серотонина, отвечающего за чувство удовольствия. Слегка упрощая, можно сказать, что при депрессии действие этого нейрогормона еще более ослабевает из-за так называемого обратного захвата. Серотонин в этом случае не передается просто так от нейрона к нейрону. Ему не удается «перескочить» синапсы, разделяющие отдельные нейроны. Он перехватывается по дороге и возвращается к тому нейрону, который его произвел, что нарушает связи

Зачем нужны мужчины?

между разными областями мозга. Известный антидепрессант прозак блокирует этот обратный захват и, образно выражаясь, помогает «проталкивать» молекулы серотонина от нейрона к нейрону.

Показатель зависимости мужчин от бензодиазепина (вещество, входящее в состав таких препаратов, как валиум и диазепам) на 64% превышает аналогичный показатель у женщин. Зависимость от препаратов типа валиума, как показывает статистика психиатрических клиник, лечится необычайно трудно. Большинство самоубийств совершается путем передозировки бензодиазепина, запиваемого алкоголем.

Более 78% мужчин признались в анкетах, что страдают от длительных и повторяющихся периодов импотенции (частично вызванной трициклическими антидепрессантами, принадлежащими к более раннему поколению, чем прозак). Это связано с недостатком тестостерона у мужчин, пораженных клинической депрессией. Опубликованные в 2003 году результаты экспериментов, проведенных психиатрами американской Маклин-клиники в Белмонте (Массачусетс), доказывают, что прием тестостерона мужчинами, не реагирующими на антидепрессанты, в 40% случаев принес существенное улучшение состояния уже через два месяца терапии. Что интересно, регулярное использование пластырей, пропитанных тестостероном, помогало также и женщинам (хотя только в 12% случаев).

Депрессия и даже длительная тоска у представителей обоих полов приводят к состоянию, которое можно упрощенно назвать отупением. Как показали исследования американца Антонио Дамасио в конце девяностых годов (Дамасио считается гуру современной нейробиологии), тоска характеризуется существенным снижением активности лобных отделов коры головного мозга. Давно известно, что уровень этой активности является показателем мыслительной деятельности и общей живости ума. Дамасио, регистрируя работу мозга при помощи ПЭТ (позитронно-эмиссионная томография), доказал, что печальным людям приходит в голову меньше мыслей, чем счастливым или тем, кто не считает себя несчастным. Это своеобразное отупение, сопровождающее депрессию, чаще поражает мужчин, чем женщин.

При этом, что парадоксально, мужская депрессия лечится куда легче, чем женская. Исследовательский коллектив профессора Хелен Мейберг из университета в Торонто пришел к выводу, что применение плацебо вместо прозака у мужчин в половине случаев приводит к тому же терапевтическому эффекту, что и сам прозак. Это невероятно большой процент. Обычно так называемый эффект плацебо работает лишь в 12% случаев. Переживающие душевные страдания мужчины в действительности не нуждаются в химических средствах. Им нужна небольшая таблетка, наполненная безвкусной химически нейтральной мукой, и вера, что эта таблетка им поможет. Мужчинам можно внушить куда больше, чем женщинам. Они лишь должны хотеть услышать эту ложь...

Кроме того, примерно у 19% мужчин, страдающих депрессией свыше восемнадцати месяцев, диагностированы явные признаки синдрома алекситимии, то есть полной неспособности к ощущениям, восприятию, пониманию и прежде всего к выражению или вербализации собственных эмоций. По мнению нейробиологов, типичному алекситимитику одинаково скучно что на похоронах, что на свадьбе собственного ребенка, он не видит никакой разницы между тем, чтобы подарить жене цветы на день рождения или дать ей денег, чтобы она сама их себе купила. Ни жена, ни цветы не вызывают в нем ни малейших эмоций. Равно как и деньги...

Похожие реакции абсолютной алекситимии обнаружены у крыс, которых регулярно в течение долгого времени бьют током, едва они приближаются к пище. Типичная, по мнению психиатров, защитная реакция полного вытеснения. Всего. У женщин вообще не обнаружено этого синдрома. Мужчина страдает иначе...

Перевод В. Волобуева

Czy ja jestem światu potrzebny?

Нужен ли я миру?

13

Бывают в году такие дни, когда все люди наконец-то нужны миру. Полагаю, что и я тоже...

Главный вопрос этой книги — о необходимости существования мужчин как пола — может показаться кому-то провокационным или даже кощунственным, кому-то — чисто риторическим (хотя и интересным как повод для дискуссии), а кому-то — просто смешным. Само сомнение в аксиомах природы и большинстве религиозных доктрин на первый взгляд может показаться пустой тратой времени. Ведь и на уроках биологии, и от законоучителя мы узнаем, что с самого начала биологический мир был двуполым, а также, что существовал некий библейский Адам и некая библейская Ева. Что в ядре клетки некоторых особей находится Y-хромосома, и это самцы, а у других — X-хромосома, и это самки, и что в случае *homo sapiens* самец называется мужчиной, а самка — женщиной. И так было с самого начала и будет до самого конца. Как верящий в Бога физик, я принимаю оба возможные «начала» (причем вмешательство Божие и самый акт творения воспринимаю исключительно как сжатый до нескольких предложений аллегорически-символический рассказ о последнем этапе эволюции), но что касается «конца», позволю себе усомниться.

Зачем нужны мужчины?

И потому в книге я отважился поделиться своими сомнениями — больше как ученый, чем как мужчина. Я старался смотреть на эту проблему со стороны и — единственно ради большей объективности — подсматривал, подслушивал и почитывал тех, кто разбирается в этом лучше меня. Кое с кем из них я согласен, а кое с кем хотел бы встретиться лично, чтобы сказать или даже крикнуть (к примеру, профессору Саммерсу из Гарварда), что они ошибаются.

Несмотря на типичную для мужчины концентрацию опасного тестостерона в моей крови (в среднем — 270—1100 нанограммов на декалитр), несмотря на временами посещающее меня чувство, будто вся эта кровь из мозга перетекает в подбрюшье (в связи с чем из меня вылезает «обуянный сексуальной манией троглодит», который неустанно мечтает о диком сексе в лифте с зеркалами на стенах и потолке), я не считаю, что принадлежу к обреченной на вымирание худшей части человечества.

Не знаю, содержит ли мой организм больше окситоцина, чем организмы других мужчин (пока еще мою кровь не анализировали под этим углом зрения), но, сдается мне, что в отличие от многих из них я взираю на женщин с заслуженным ими восхищением, уважением, а порой и с нескрываемой завистью. Я знаю, что принадлежу к феминистам (хотя и не хожу к гинекологу), и очень бы хотел, чтобы феминизм как философия или как общественное движение стал миру совершенно не нужен. И как можно скорее.

Я также знаю, что хотел бы быть необходим миру. Причем в качестве мужчины, а не в качестве человека вообще. И хотел бы, чтобы мне сказали это именно женщины. После всего, что я пережил, готовясь к написанию этой книги, их потребности представляются мне куда более важными и труд-

Зачем нужны мужчины?

ными для удовлетворения. Есть такие дни в году, когда я чувствую, что могу их удовлетворить. Одним из таких дней, особенно важным для меня, является Сочельник...

Недавно ученые взялись за изучение гена Бога и химической природы рождественской облатки. Включили свои томографы и ринулись на поиск отвечающих за особое отношение к этому празднику центров в правой и левой височных долях мозга. Надеюсь, они ничего не найдут...

Андреас пребывает в герметичной, отрезанной от мира палате клиники в Гейдельберге. Он подключен разноцветными проводами к более чем десятку управляемых компьютером приборов, которые наблюдают, отмечают и записывают все, что касается функционирования его организма. Частота дыхания понижается в 2,5 раза, потребление кислорода уменьшается на 30—40%, кожно-гальваническое сопротивление увеличивается вдвое (эффект релаксации), pH крови указывает на ее сильное закисление. Самый большой набор проводов ведёт к напоминающим цветные колпачки датчикам, прикреплённым к его голове.

Еще в 1929 году немецкий ученый Ганс Бергер открыл, что человеческий мозг испускает несколько совершенно разных типов электромагнитных волн, каждый из которых тесно связан с определенным уровнем сознания. Нейроны мозга генерируют слабые электрические разряды, что ведет к появлению электромагнитных волн, которые можно фиксировать электродами на поверхности черепа. Эти волны можно усилить и зарегистрировать (энцефалограмма). Волны с частотой 8—12 Гц называются альфа-волнами. Они соответствуют состоянию глубокой расслабленности. Другие, так называемые дельта-волны с частотой 1—4 Гц, возникают только во сне во время не-БДГ фазы (то есть не фазы быстрых движений глаз), а тета-волны (4—7 Гц) появляются в фазе сновидений или грез наяву — в последнем случае они связаны с так называемым уходом мысли, или рассеянностью.

В энцефалограмме Андреаса, регистрирующей работу его мозга, каждые пятьдесят секунд появляются высокие пики альфа-волн, что при широко открытых глазах практически не встречается. Дважды энцефалограмма фиксирует даже появление тета-волн, свидетельствующее о том, что пациент пребывает в состоянии глубокого сна, которому сопутствуют сновидения. Но Андреас вовсе не спит и тем более не видит снов. Андреас — монах, и он молится...

Ученые уже давно ищут Бога исключительно в мозгу. Андреас полагает, что они Его там не найдут. То же самое считают несколько монахинь-францисканок, которые также прошли подобные исследования. И монахини, и Андреас убеждены,

что их мозг регистрирует лишь трансценденталь-
ные переживания, связанные с религиозными чув-
ствами.

Радиолог Эндрю Ньюберг из университета штата Пенсильвания в корне с ними не согласен. Он
думает, что можно не верить в Бога, но пережить
состояние религиозного экстаза. Используя мощный томограф SPECT, работа которого основана на
эмиссии отдельных фотонов, он открыл, что рели-
гиозному экстазу или глубокой медитации сопутствует почти полное отсутствие активности височных долей. То же самое наблюдается у эпилептиков
во время приступа, а также у тех, кто находится под
воздействием опиатов, амфетамина, гашиша или
ибогаина. У всех них отключается височная доля
мозга, а в анкетах, заполняемых в процессе исследования, они ясно указывали на свои трансценден-
тальные или даже религиозные переживания. Особенно интересно то, что половина исследуемых

Ньюбергом эпилептиков называла себя атеистами, а все остальные не проявляли особых религиозных склонностей — пока у них не начинался приступ. Описания подобного рода состояний религиозного экстаза можно найти в литературе. Федор Достоевский, сам всю жизнь страдавший эпилепсией, часто и подробно писал об этом в своих произведениях. Достаточно прочесть соответствующие страницы в его знаменитом «Идиоте». Князь Мышкин, главный герой романа и титульный «идиот», своими близкими к божественным озарениями был обязан приближающемуся приступу эпилепсии.

В свою очередь, использование дурманящих веществ в религиозных целях столь же старо, как и сама религия. Еще в эпоху неолита (около 10 тысяч лет назад) во время языческих ритуалов применялся психотропный отвар из красного мухомора *Amanita muscaria*. На клинописных табличках шумеров (6 тысяч лет назад) упоминается опиум, использовавшийся среди прочего для введения человека в состояние религиозной эйфории. Галлюциноген, содержащий псилоцибин и псилоцин и получаемый из грибов *Psilocybe mexicana* и *Stropharia cubensis*, применяли в своих религиозных церемониях приверженцы культа Jurema[16] в Восточной Бразилии. Таким образом, мы видим, что височные доли умели «отключать» уже очень давно. Однако лишь сегодня, располагая томографом стоимостью 2,5 миллиона долларов, можно это доказать...

Я отключаю свои височные доли без всякой химии. Мне достаточно колядок, облатки и рождественского волшебства. Этот день, как никакой другой, воздействует на людей, заставляя их ис-

---

[16] Мистический культ индейцев Восточной Бразилии, основанный на потреблении галлюциногена *jurema*, получаемого из растения *Acacia jurema*.

пытывать возвышенное волнение, суля новые надежды. Мужчины становятся исключительно женственными, нежными и разговорчивыми. Подозреваю, что если провести соответствующее исследование, то уровень тестостерона в их крови окажется сильно пониженным, окситоцина — повышенным, а сами они будут чувствовать, что очень похожи на женщин. Будут — как когда-то — снова, хоть и на короткое время, влюблены (я уже упоминал, что у влюбленных мужчин уровень тестостерона резко падает, в то время как у женщин возрастает — итальянский профессор Донателла Мараззити из Пизанского университета называет это временным эффектом гармонии полов). Мужчины могли бы на несколько часов объединиться при полном взаимопонимании и забыть горькую правду, что по природе своей они ущербны и, даже если исчезнут с лица земли, мир по-прежнему будет существовать. Но женщины ни за что на свете не захотели бы этого. Большинство из них сказали бы своему мужчине, что иногда нуждаются в нем, иногда его ненавидят, а через минуту снова любят; иногда им хочется просто быть с ним рядом, иногда — только, чтобы он их раздевал и ласкал; а временами — всего вышеперечисленного одновременно. Они бы сказали, что не нуждаются ни в Боге, ни в религии, ни в галлюциногенных микстурах, поскольку мужчина сам доставляет им такие пики альфа- и тета-волн, что все остальное уже не нужно.

Мир без мужчин, даже если и возможен, был бы не очень-то хорош — слишком пуст, скучен и печален, а вдобавок в нем было бы ужасно холодно. Мужчины нужны женщинам. Очень нужны.

Думаю, что я иногда тоже ● ● ●

Франкфурт-на-Майне, август 2007 г.

Перевод В. Волобуева

Оглавление